우리 밥상 이야기

우리 밥상 이야기

발행일 2024년 01월 10일
지은이 가락몰도서관 수강생들
엮은이 김성환
펴낸이 한건희
펴낸곳 주식회사 부크크
출판사등록 2014.07.15.(제2014-16호)
주소 서울특별시 금천구 가산디지털1로 119 SK트윈타워 A동 305호
전화 1670-8316
이메일 info@bookk.co.kr

ISBN 979-11-410-6607-9

www.bookk.co.kr

* 이 책은 도서관「길 위의 인문학」 사업 '그림책 속 우리음식 이야기'의 결과물입니다.

음식의 고마움을 아는 아이와 부모가 함께 만든

우리 밥상 이야기

가락몰도서관 수강생들 지음

김성환 엮음

머리말

'도서관 길 위의 인문학' 사업을 시작하면서 가장 먼저 접한 것이 '인문학의 위기'라는 단어입니다. 인문학이란 결국 사람은 무엇인가, 그리고 사람답게 살기 위해서는 어떻게 해야 하는가에 대한 해답을 찾아가는 학문입니다. 그런데도 대다수의 사람들은 사람답게 사는 것이 뭔지 생각할 겨를도 없다고 대답합니다. 인문학의 대표 학문인 문학과 역사, 철학 역시 그저 실생활에 별 쓸모가 없고 배워봤자 취직하기 힘든 학문 정도로 인식하곤 합니다. 그래서 길 위의 인문학 프로그램을 기획하면서 어떻게 하면 인문학을 사람들이 매일 마주치는 일상에서 끌어내어 관심을 갖게 만들까 고민을 했습니다. 먹고 살기 바빠서 인문학은 거들떠 볼 겨를도 없다고 하니, 그렇다면 먹고 사는 문제를 인문학적으로 접근해보자는 것이 나름대로 모색한 해결책이었습니다.

사람답게 먹는다는 것은 무엇일까요. 바쁜 일정에 쫓겨 가며 패스트푸트와 인스턴트 음식으로 허겁지겁 한 끼를 때우는 것은 사람답게 먹는 것과는 거리가 있어 보입니다. 내 앞에 놓인 음식에 집중하며 그 맛을 음미하고, 나의 한 끼를 만들기 위해 노력한 수많은 사람들의 정성에 감사하고, 음식을 함께 나누어 먹는 사람과 교감하는 것이 중요합니다. 이 프로그램을 진행하면서 우리 음식을 주제로 삼은 이유입니다. 우리가 식탁에서 접하는 우리 음식의 역사를 알고 만들어지는 과정을 익히는 것, 그리고 실제로 맛보고 체험하는 것이 음식에 대한 애정을 품고 더 나아가 가족간의 공감대 형성으로 이어지는 출발점이 될 수 있다고 생각했기 때문입니다.

부모님과 아이들이 함께 듣는 교양 강좌인 만큼, 우리 음식 이야기를 담아내는 그릇으로 그림책을 선택했습니다. 책을 그리고 쓴 작가들을 선생님으로 초청해서 내가 평소에 먹던 음식들이 주인공으로 나오는 그림책을 함께 읽었습니다. 30여 회에 걸친 수업과 독후활동은 음식과 사람에 대한 이해를 넓히고 생각을 가꾸어 나가는 밑거름이 되어 주었습니다. 아직 전통 한식에 익숙하지 않은 아이들을 위해 한식이 아닌 우리 음식이라는 단어를 고집했습니다. 라면이나 참치 통조림처럼 한국의 전통 음식은 아니지만 우리의 일상과 밀접한 관련이 있는 음식들을 모두 아우르기 위해서입니다.

그림책 읽기가 끝나면 한 달에 한 번씩 요리 독후활동 시간을 가졌습니다. 그림책에 나왔던 음식들을 만들거나 먹어 보면서 길 위의 인문학 사업의 가장 큰 목표인 일상과 연계되는 인문학을 체험하는 시간이었습니다. 그리고 이렇게 다양한 독서 경험을 바탕으로 쓴 글이 한 편, 두 편씩 모이기 시작했습니다.

이 책은 가락몰도서관 길 위의 인문학 프로그램 수강생들이 정성껏 만들어낸 음식 이야기입니다. 같은 음식을 두고도 부모와 아이가 완전히 다른 시각으로 바라보는 글이 있는가 하면, 과연 한가족이구나 싶을 정도로 비슷한 생각을 하는 글도 있습니다. 독후 활동 시간에 만들었던 음식 캐릭터, 직접 쓴 시, 머릿 속에서 떠돌던 그림과 이야기를 엮어 만든 동화와 독후감, 일기, 산문에 이르기까지. 다양한 주제와 형식으로 나타난 작품들은 음식으로도 인문학적 소양을 기를 수 있다는 증거입니다.

다섯 달에 걸친 수업은 많은 변화를 가져다 주었습니다. 비빔밥에는 채소가 많이 들어가서 싫다던 아이들이 비빔밥 그림책을 읽고, 도서관 텃밭에서 딴 채소를 넣은 비빔밥을 직접 만들어 먹어보고는 너무나 맛있다며 집에서도 또 해먹어야겠다고 다짐합니다. 아이가 쓴 시를 읽은 부모님이 왜 편식을 했는지 이해했다는 듯 고개를 끄덕이고, 엄마가 쓴 독후감을 읽은 아이는 자신이 먹는 반찬에 할머니의 손맛이 담겨있다는 것을 깨닫습니다. 앞으로도 더 많은 사람들이 이렇게 길 위의, 그리고 밥상 위의 인문학으로 더욱 풍성한 식사 시간을 만들기를 기대합니다.

2024. 1. 3.

가락몰도서관 요리/음식분야 전문사서

김성환

차례

제3장 냠냠쩝쩝 즐겁게 노래하기

제4장 내가 만든 맛있는 동화

제1장

부모의 식탁, 아이의 식탁

부모님은 일하느라 바쁘고
아이는 학교와 학원에 바쁘면
온 가족이 함께 마주할 시간은
식탁 위에 앉았을 때 뿐입니다.
같은 음식을 공유하는 소중한 시간.
똑같은 반찬이라도 부모님과 아이가
얼마나 다르게 느끼는지, 혹은
얼마나 똑같은 생각을 하는지가
글에서 나타납니다.

가지볶음 - 사랑과 전쟁

곽금호 지음

어느 날 저녁식사.

반찬으로 나온 가지볶음.

"가지볶음이네. 고춧가루 뿌려서 매콤하게 만들면 더 맛있는데."

그 순간 정적이 흘렀다.

나에게는 반전이 필요했다.

"여보, 다음에는 내가 매콤한 가지볶음 해줄게."

하지만 상황을 바꾸기에는 역부족이었다.

이제는 행동으로 보여줘야 한다.

"여보, 이 가지볶음 맛있네. 남은 양념에 밥 비벼먹어야겠다."

그녀의 얼굴에서 미묘한 표정 변화를 감지했다.

가지볶음 - 너무 다른 우리들. 그런데...

곽세음 지음

우리 아빠는 가지볶음을 좋아해.

그런데 나는 가지볶음을 싫어해.

우리 아빠는 깻잎을 좋아해.

그런데 나는 깻잎을 싫어해.

그래도 아빠와 나에게는 공통점이 있어.

바로 우리 둘 다 고기를 좋아한다는 공통점이야.

비빔밥

김은정 지음

하나씩 둘씩 차곡차곡 여러 빛깔을 품은 채 더해진다.

각자의 빛깔, 모양이 아름답게 모여 어우러진다.

하나는 재미없어.

하나보다 둘이, 둘보다는 셋이, 셋보다는 넷 다섯이 더 좋은 걸.

나만의 맛을 가진 채 서로 어우러져 새로운 맛이 난다.

나만의 맛을 잃지 않은 채 새로운 맛을 만들어 낸다.

새콤달콤하고 매콤한 양념장이 더해지고

고소하고 풍미 좋은 참기름이 더해지면

더욱 재미있고 맛있는 어우러짐이 된다.

어우러짐은 언제든 어디서든 참 맛있다.

비빔밥

정아영 지음

오늘은 비빔밥이 나오는 날이다.

오늘도 맛있을지 잘 모르겠다.

하지만 점심시간에 고소한 냄새가 솔솔~

나는 고소한 냄새에 이끌렸다.

어쩔 수 없다.

어차피 먹어야 하는 거니 먹어야겠다.

꿀꺽! 아사삭!

음...

생각보다 맛있는걸?

채소 - 채소를 먹지 않는 아이

김현주 지음

어떻게 하면 채소를 먹게 할까.

무를 작게 작게 썰어 맵지 않은 아기 깍두기를 만들어 주니 맛있게 먹는다.

알록달록 당근, 호박, 시금치, 콩나물에 달걀 후라이 넣고 간장, 참기름 뿌려 비빔밥을 만들어 주니 잘 먹는다.

여러 가지 채소 먹기엔 최고다.

보글보글 끓인 육수에 숙주랑 배추, 그리고 소고기를 넣어 소스에 찍어 먹는 샤브샤브.

아이들이 숙주랑 배추를 먹다니, 너무 좋다.

요즘 제철인 애호박과 부추를 썰어 바삭하게 부친 야채전도 잘 먹는다.

뭘 해주면 채소를 잘 먹을까.

오늘도 고민이다.

채소 - 채소는 싫다

이정윤 지음

채소는 싫다.

채소는 맛이 없다.

하지만 샤브샤브는 맛있다.

깍두기도 맛있다.

비빔밥도 맛있다.

채소는 싫은데 왜 샤브샤브하고

깍두기하고 비빔밥은 맛있는걸까?

샤브샤브는 고기랑 함께 먹어서 괜찮다.

깍두기는 아삭아삭해서 재밌다.

비빔밥은 이것저것 많이 들어있어서 맛있다.

그런데 왜 다른 채소들은 맛이 없는 걸까?

라면

성근지 지음

우리 가족은 라면을 좋아한다. 주말에 아빠가 입에 오면 아이들은 항상 라면을 끓여달라고 한다. 취향도 제각각이다. 첫째는 불닭라면, 둘째는 우동라면, 셋째는 치즈라면. 엄마가 끓여주면 한강라면이라 맛이 없다고, 아빠가 끓여주는게 맛있다고 한다. 세 그릇을 따로 끓이면 번거로울텐데 남편은 대수롭지 않다는 듯 10년간의 자취실력을 발휘해서 휘리릭 끓여낸다. 빠르게 먹을 수 있는 맛있는 라면으로 우리 가족이 하나가 된다.

라면

박제음 지음

라면의 종류는 많다. 그리고 면이 부드럽다. 라면의 종류에는 스낵라면, 진라면, 신라면, 치즈라면, 김치라면 등이 있다. 그 중에서 내가 먹어본 종류로는 스낵라면, 진라면, 치즈라면, 신라면이 있다. 어제는 스낵라면을 먹었다. 라면 스프만 스낵면이었지만 짭쪼름하고 엄청 맛있었다. 그리고 등갈비랑 같이 먹으면 세계 최강 음식이 된다. 꼬들꼬들하고 매운 맛으로 먹는 라면이 최고!

김밥 - 추억의 김밥

이동훈 지음

고슬고슬 하얀 밥 위에

봄나들이 추억의 노란 단무지 올리고

초록 잎사귀의 여름의 추억 시금치를 올리고

울긋불긋 단풍 든 가을의 추억 당근을 올리고

겨울에 모닥불에 둘러앉아 먹던 햄을 올리고

추억을 잃어버리지 않게

김으로 고이고이 놀리고

내 입으로 냠냠

내 뱃속에서 추억은 영원히.

김밥 - 정성 김밥

이시현 지음

김밥 중에 가장 맛있는 김밥

엄마손 김밥

난 엄마 손맛이 깃들어 있는

음식 중 김밥이 젤 좋드라.

계란 하나에도 정성이 가득

김 하나에도 정성이 가득.

밥에도, 오이에도, 맛살에도

정성 가득.

정성이 가득 들어있는 김밥.

이 김밥의 이름은 정성 김밥.

따뜻한 밥

이수현 지음

따끈따끈한 밥냄새가 나면 그리운 사람들이 생각난다. 어릴 적 시골 외갓집에 가면 할머니께서 공기 가득 담아 주시던 밥 냄새도 그리워지고, 친정 엄마가 쿰쿰한 청국장 찌개와 함께 공기 가득 밥을 떠주시던 것도 늘 그리워진다.

우리 가족들 매 끼 만들어 주는 밥이지만 가끔은 밥 냄새 맡으며 지난 추억을 떠오르게 하는 밥. 나에게도 추억이 되었듯이 우리 아이들도 나중에 밥을 생각하면 정성들여 만들어 준 나를 떠올리게 될까?

밥은 늘 먹는 것이지만 때로는 과거를 회상하는 시간을 갖게 해주기도 하네.

따뜻한 밥

최진우 지음

오늘 엄마께서 요리를 하신다.

내 심장이 따끈따끈.

엄마가 만드신 밥이

따끈따끈 꿀맛이다.

나는 엄마가 만들어주신 밥이

세상에서 가장 맛있다.

내가 말했다.

다음에도 또 요리 해주세요.

엄마가 만드신 밥은

배민보다 맛있다.

치즈볼

최진우 지음

오늘 아빠가 치킨과 치즈볼을 사오셨다.

내가 손을 씻으러 화장실에 가면 바스락 바스락 소리가 난다.

내가 손을 다 씻고 나가면 내 치즈볼이 사라진다.

누가 먹었을까?

가족들의 입 주변을 보면 동생 입가에 노란색 치즈볼 가루가 남아 있다.

"왜 먼저 먹었냐고?" 하고 물어보는 순긴, 엄마는

"오빠니까 동생에게 양보해" 라고 말씀하신다.

나는 그 순간 방에 뛰쳐 들어갔다.

그래도 내 음식을 빼앗아먹는 동생이지만 나에게는 사랑스러운 동생이다..

치즈볼

최송우 지음

나는 치즈볼을 좋아한다.

오빠가 없을 때 몰래 먹는 치즈볼은 너무 맛있다.

하나만 먹어볼까? 음~ 너무 맛있다.

오빠가 두 개 먹으면 나는 세 개 먹고 싶다.

오빠, 미안해.

내가 다 먹었어.

밥

이황은 지음

우리 딸은 하얀 흰밥을 좋아한다.

그래서 식당 공깃밥과 학교 급식밥이 제일 맛있다고 한다.

나는 콩밥도 해주고 싶고, 팥밥도 해주고 싶고, 가지밥도 해주고 싶은데

우리 딸은 아무것도 없는 하얀 밥을 제일 좋아한다.

우리 딸은 김치반찬, 고기반찬, 생선반찬, 쌈밥, 김밥을 좋아한다.

양파 장아찌도 잘 먹는다.

아마 우리 딸은 반찬을 맛있게 먹기위해 흰밥을 좋아하나보다.

밥

김은솔 지음

밥은 맛있습니다.

밥에 종류는 공기밥보리밥쌀밥콩밥 여러밥이 있씁니다.

밥에 색깔은 보라색힌색검정색 등이 있어요.

밥에 맛은 사람마다 달라요.

맛있거나 맛없거나 아무맛이 안나거나 여러 가지 있지요.

밥은 쌀로 만들어져요. 쌀은 농부가 심지요. 그리고 점점 잘아 쌀이 되지요.

그래서 밥으로 만들어저요.

식당에서는 밥이 없지 안아요. 사람들이 식사할대 밥이 기준이라 하지요.

밥은 아주 옜날에도 먹었어요.

그래서 식당에서도 안나오는 때가 없는 걸꺼에요.

* 글의 느낌을 살리기 위해 맞춤법과 띄어쓰기 교정을 하지 않았습니다.

밥도둑

정숙현 지음

우리 집 다마고치님은 카레를 좋아한다. 카레 안에 뭐가 들어가도 카레만 있으면 9박 10일을 먹어도 물려하지 않을 것이다. 물론 카레 뿐 아니라 뭐든 다 잘 먹어치우긴 한다. 밥을 먹으면서도 "아... 냉면도 먹고 싶다."라고 말하거나 길을 가다가도 뜬금없이 "돈까스 먹으러 갈까?"라고 한다.

반면 우리 집 유일무이한 1호는 눌은밥을 좋아한다. 옛날에는 뽀오얗고 푹 퍼진 눌은밥을 좋아했는데 요즘에는 바삭하게 눌리고 적당히 끓인 꼬득꼬득한 눌은밥을 좋아한다. 아침에도, 아플 때에도 눌은밥이면 제법 든든하게 먹일 수 있다. 거기에 앞뒤가 바삭하게 잘 구워진, 노른자가 단단하게 익은 계란 프라이 한 개면 꽤 만족스럽게 밥 한끼 뚝딱이다.

밥도둑

이원영 지음

우리 아빠는 모든 게 밥도둑이다. 입에 들어가는 건 다 먹는다. 저녁을 먹고 들어왔는데 라면을 또 끓여달라고 했다. 언젠가는 음식이 아닌 걸 음식으로 착각해서 먹을 뻔 한 적도 있다. 하지만 좋은 점도 있다.

어느 날, 평화로운 식사 시간.

반찬을 본 나는 밥만 뚫어져라 바라보고 있었다. 왜냐하면 반찬이 시금치와 내가 싫어하는 것들만 있었기 때문이다.

"왜 안먹어?" 라고 아빠가 말했다.

"이 반찬 아빠가 다 먹어." 라고 대답하자,

"오, 진짜? 고맙다. 앗싸~" 하며 정말로 다 먹었다.

나는 가만히 기다리고 있다가 엄마에게 말했다.

"엄마, 반찬이 없는데 나 계란후라이 하나만."

김치의 교훈

전아인 지음

그 동안 우리 가족은 할머니가 만들어 주신 김치를 먹었다.

그래서 맛있는 밥을 먹을 수 있었다.

하지만 어느 날, 할머니는 친구들과 여행을 떠났다.

식구들이 김치를 너무 많이 먹어 김치가 그만 다 떨어지고

말았다. 우리는 엄마를 불렀다.

"엄마, 김치 좀 해줘."

하지만 엄마는 김치를 어떻게 만드는지 몰랐다.

결국 엄마는 마트에 가서 김치를 사왔다. 하지만 가족들의

입맛에는 맞지 않았다.

곧 점심시간이 되자 아빠가 점심밥을 차렸다.

김치 없는 밥과 반찬들은 맛없게 느껴졌다.

나는 할머니의 김치로 만든 김치찌개와 김치볶음밥이

생각났다. 우리 가족은 점점 지쳐갔다.

갑자기 문에서 “삐삐삐-” 소리가 나더니 할머니가

김치통을 들고 오셨다.

가족들의 눈에는 히어로가 나타난 것 같았다.

우리는 “살았다!”를 외치며 할머니를 반겼다.

김치의 교훈

지성정 지음

우리 집은 양가의 어머니로부터 김치를 받아온다. 시댁에 다녀온 다음날이면 냉장고의 절반 이상이 크고 작은 김치통들로 가득하다. 배추김치, 섞박지, 오이소박이, 나박김치, 동치미, 파김치 등 대여섯 종류의 김치를 한 번에 받아 와서 안그래도 좁은 냉장고가 더 이상 들어갈 수 없는 상태가 된다. 게다가 냉장고 문을 열 때마다 집안으로 김치 냄새가 강하게 풍겨나올 때면 지끈지끈 머리가 아픈 것 같은 기분이다.

시어머니는 김치를 잘 담그신다. 자부심도 크시다. 김치를 담그는 횟수, 종류, 김치 만드는 데 쏟는 시간, 평소 말씀 중에 김치를 언급하는 빈도 등을 고려한다면 어머님의 인생에서 김치가 중요한 부분을 차지하고 있는 것이 분명하다. 무릎이 아파서 오래 고생하시던 어머님은 최근에 인공관절 수술을 받으셨다. 수술을 며칠 앞두고 통화를 했다. 이제 당분간 김치를 못 담그니 부랴부랴 배추를 사와서 절여놓았다는 말씀을 듣고 '도대체 왜 그러실까? 이건 김치에 대한 집착'이라는 생각이 들었다.

김장철이 되면 친정 엄마는 예민해진다. 이모들과 연락해서 절

임배추를 어디서 주문할지, 배송날짜는 언제로 할지 신중하게 결정한다. 일주일간은 모든 스케줄을 비우고, 친정아빠와 장보기, 마늘 다지기, 무채 썰기, 육수 끓이기 등 단계별로 김장 준비에 돌입하신다. 그렇게 김장 작업이 끝나고 나면 어떨 때는 허리가 나가거나, 결국에는 몸살이 나기도 한다. 요즘 같은 편한 세상에 그냥 사먹자 해도 "올해까지만 이렇게 할거야." 말씀하신다.

할머니에게 김치를 받아올 때마다 아이들은 진심으로 걱정어린 표정을 하며 묻는다. "나중에 우리가 엄마가 되고, 엄마가 할머니가 되면 우린 누구한테서 김치를 받아오지?"

아이들 눈에도, 그리고 실은 내 생각에도, 나 혼자 김치를 직접 담그는 것은 상상도 못할 일이다. 김장은 정말이지 엄두가 나지 않는다. 진입장벽이 큰 음식이다. 전통이라는 이름으로 우리나라 여성들을 너무 힘들게 하는 음식이 아닌가 하는 생각까지 들었다.

어느 날 김치가 똑 떨어졌다. 여행을 간 할머니, 병원에 간 할머니. 할머니 찬스도 떨어졌다. 마트에 가서 종종 사먹는 김치를 사왔다. 맛도 나쁘지 않다. 하지만 조그맣게 파는 포기김치 한 팩은 식구들이 먹는 속도를 따라가지 못해 금방 동이 나버린다. 그동안 할머니가 주신 김치통 가득한 김치는 몇 달을 먹고 또 먹어도 다 못먹어서 지져먹고, 볶아먹고, 김치찌개 끓여먹고, 김치전도 부쳐먹고 했는데. 다른 재료가 안들어가도 김치만 들어가면 맛있는 한 끼 요리가 완성되었는데.

어머니들은 알고 계셨던 것이다. 김치에 대한 집착이 아니라 커다란 김치통에 가족들에 대한 사랑을 가득 담으셨던 것이었다. 매일매일 끼니마다 밥과 함께 김치를 맛있게 먹을 자식들과 손주들을 머릿속으로 그리며 몸은 힘들지만 즐거운 마음으로 김치를 담그셨던 것이었다. 내 그럴 줄 알았다는 듯이 충분한 양을 말이다.

나는 김치에 대한 오해를 풀고, 부정적인 견해도 거두고 부담없이 김치를 받아들이기로 했다. 기회가 된다면 엄마의 주방, 그리고 어머님의 주방에서 김치 비법을 조금씩 배워봐야겠다.

엄마에게

김지유 지음

To 엄마.

내 입맛에 맞는 맛있는 치즈 감자전 만들어 주셔서 감사해요. 또 맛있는 치즈 김밥도 해주셔서 감사해요. 제가 아팠을 때 도움이 되는 음식도 해주셔서 고마워요. 엄마가 만들어 준 것 중에 가장 맛있었던 음식은 오므라이스, 아코디언 감자, 감자전, 스콘 등등 엄마가 해준 음식이 거의 다 맛있어요.

항상 맛있는 음식 해주셔서 감사해요.

엄마에게

한현숙 지음

제가 엄마가 되어 엄마를 생각해보니 저희 삼 남매를 위해 매끼니 차려주셨던 밥상이 머릿속에 스치듯 지나가네요. 생일날 친구들 모두 오라고 해서 그 시절 흔하지 않던 돈까스를 집에서 직접 해주셨던 게 특히 기억에 남아요. 일일이 고기를 망치로 늘려서 펴고, 간을 하고, 밀가루 묻히고, 계란물 입히고, 빵가루 꾹국 눌러 튀김기에 촤아~ 일일이 튀기시는데 쟁반에 한가득 쌓여있던 돈까스가 아직도 생생해요. 엄마만의 특제 소스를 뿌려 나이프와 포크 짝맞춰 차려주신 경양식당 못지 않은 돈까스 파티를 열어주셨었죠. 아직도 친구들이 그 때 그 돈까스 정말 맛있었다며 이야기하면 어찌나 어깨가 으쓱하게 되던지.

그 때는 몰랐어요. 다 데리고 식당에 가서 사주기엔 너무 부담스러워서, 친구들 다 초대해서 내 딸이 즐거워 하는 모습을 상상하며 엄마가 하실 수 있는 최선을 다해 정성껏 땀흘리며 만들어주셨다는 것을요. 제가 커서 딸아이를 낳고 그 아이를 위해 무얼 만들어줄까, 무얼 좋아할까, 어떻게 하면 맛있게 먹게 해줄까 고민하며 이제는 받았던 엄마의 사랑을 흘려보내고 있네요. 엄마의 정성 가득,

사랑 가득 밥상덕에 저도 엄마처럼 되고 싶어 노력하는 딸이 되었네요.

엄마의 사랑밥상, 뵈러 내려가서 먹고 싶네요. 곧 만나요. 사랑해요, 우리 엄마.

제2장

음식, 주인공이 되다!

작가 선생님들과 함께 음식 그림책을 읽습니다.
그림책 속에 등장한 음식들의 이야기를 듣고 나면
내 머릿속에서 그 음식들이 살아 움직이는 듯 합니다.
그래서 독후 활동 시간에는 책에서 읽었던
다양한 음식들을 직접 주인공으로 만들어 보기도 합니다.
내가 만든 음식 주인공들을 살펴보면
평소에 별 생각없이 먹었던 음식들을
더 깊게 이해하고 고마움을 느낄 수 있습니다.

김치, 주인공이 되다!

동치미

김남희 지음

나는 동치미야.

겨울 내내 먹어도 질리지 않지.

목 멕힐 때 마시면 캬~

온갖 느끼한 음식도 쑥~

고구마에도, 치킨에도, 파전에도

함께 먹으면 너무 개운해.

알싸하고 시원한 소화제라고나 할까!

열무김치

박수현 지음

나는 열무김치야.

나는 초록색이고 아삭해.

더울 때 나를 먹으면 시원해 질 거야.

여름에 잘 어울릴 걸?

짜파게티랑도 같이 먹어 봐!

파김치

김은정 지음

매콤새콤 나는야 파김치!

나는 몸이 유연해서 어떤 모양으로든

변할 수 있어.

또, 내 매력적인 맛 덕분에

밥, 짜파게티, 라면들이 나를

짝궁으로 원해서 인기가 많아~

나 정말 멋지지?

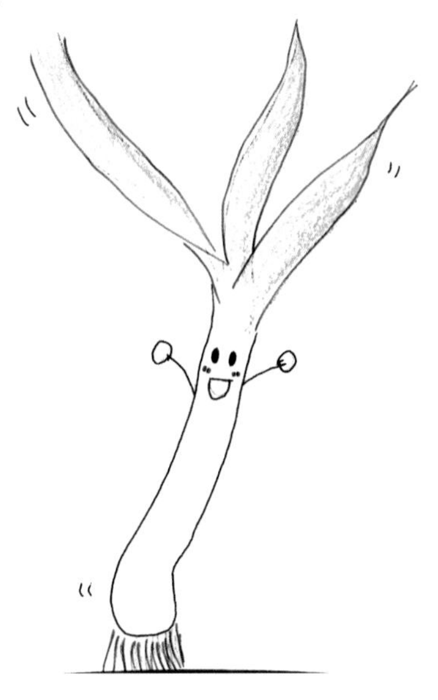

동치미

정아영 지음

안녕? 난 이번 시즌 아이돌, 동치미!

나는 맵지도 않아서

어린 아이들도 먹을 수 있어!

나는 어딜 가도

인기가 많은 동치미!

앞으로도 나를

많이 사랑해줘~

배추김치

박제음 지음

나는 배추김치야.

나는 너에게 매운 맛을 보여줄거야.

맛있는 매운맛이 혀끝에서 머리끝까지

쫙 퍼지도록 만들어 줄 걸?

갓김치

이황은 지음

안녕, 나는 갓김치야!

시원한 바닷바람 맞고 자란

여수 돌산 갓김치지!

나의 톡쏘는 알싸한 매력에 빠지면

나만 계속 찾게 될 걸?

깍두기

김은솔 지음

나는 깍두기야.

아삭아삭하고 상큼해.

크기도 다양해.

그리고 내 몸은

반듯한 사각형이야.

갓김치

정숙현 지음

나는 갓김치야.

갓!

김치 오브 더 김치, 갓!

오 마이 갓!

나는 독보적이지.

따끈하고 윤기 흐르는

히얀 쌀밥 위에

나를 척 올려놓고

한 입 먹으면 크... 갓!

오 마이 갓!

꼬들꼬들 끓인 라면과

함께 나를 척 감아

한 젓가락 먹으면 크... 갓!

오 마이 갓!

이 세상 엄지척은 다 내꺼야!

갓! 오 마이 갓!

배추김치

이원영 지음

나는 배추김치야.

나는 김치 중에서 가장

기본이 되는 김치야.

그리고 외국인들도 나를 좋아해.

내 이름을 따서 만든 음료수도 있어.

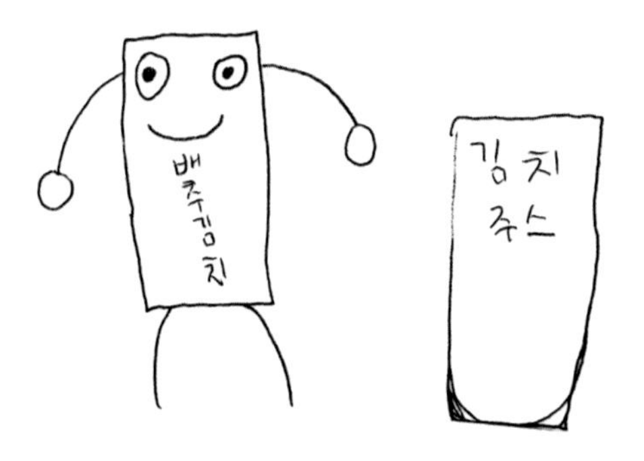

열무김치

지성정 지음

얘들아, 열무김치 먹어봤니?

얼핏보기에 먹기 어렵게 생겼지만

한 번 맛보면 내 매력에 깜짝 놀랄 걸?

아삭아삭하게 씹히는 맛,

깔끔하고 시원한 국물,

향긋한 내음까지.

칼국수랑 같이 먹으면 최고야!

총각김치

전아인 지음

안녕? 나는 총각김치야.

나는 너희들이 좋아하는

라면과도 잘 어울려.

그리고 씹으면 아삭함에

푹 빠지게 될 걸?

날 먹어줘!

떡, 주인공이 되다!

레인보우 펜 떡

정아영 지음

딸기, 오렌지, 바나나, 키위, 블루베리, 포도, 복숭아. 일곱 가지 과일 맛을 가진 무지개 색깔의 레인보우 펜 떡입니다. 뚜껑을 열면 떡이 나와요! 예쁜 색깔의 떡 기름으로 글씨를 쓰거나 그림을 그릴 수도 있어요.

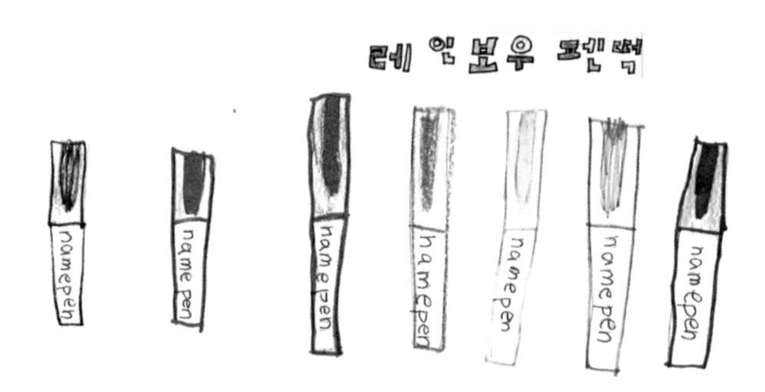

행운 무지개떡

강현경 지음

행운을 가져다 주는 행운 무지개떡입니다. 무지개 색깔 백설기에 네잎클로버 모양을 하고 있습니다. 먹으면 행운이 와서 방긋 웃게 되는 맛있는 떡입니다.

무지개 고양이 떡

박제인 지음

내가 가장 좋아하는 떡은 무지개떡입니다. 무지개떡을 보고 맛보면 이런 생각이 떠올라요.

"겉모습만 무지개인데 왜 이렇게 맛이 있는 걸까? 혹시 무슨 비결이라도 있나?"

무지개떡을 먹으면 행복해지고, 그러면 이상하게 고양이가 생각납니다. 고양이와 노는 것이 가장 좋아서 그런가봐요. 그래서 내가 떡을 만든다면 무지개 고양이떡을 만들어 볼래요.

맛도 달달하고 냄새도 달콤한 냄새!

하지만 설탕은 들어가지 않아서 충치 걱정은 할 필요 없는 무지개 고양이떡. 당근을 넣은 떡케이크 위에 고양이 모습을 한 무지개 색깔 인절미가 귀여운 모습입니다.

마라맛 떡

김시온 지음

"마라탕을 먹어본 적 없으시다구요? 지금 이 떡을 사서 마라를 쉽게 접해보세요!"

마라탕을 쉽게 먹을 수 있게 만든 떡입니다. 분모자떡과 중국당면떡에 마라가루를 뿌려 먹으면 매콤한 마라탕맛이 그대로 입안에 펼쳐집니다. 단, 칼로리가 높으니 주의할 필요가 있습니다.

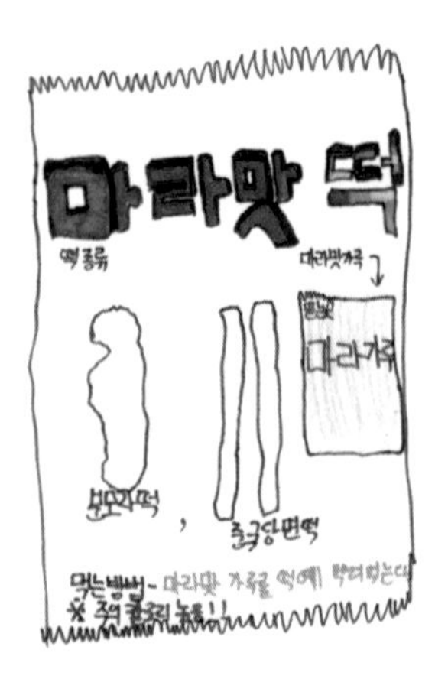

포켓몬 떡

김은찬 지음

“너로 정했다! 떡떡떡 잡히는 포켓몬 떡!”

포켓몬떡은 빨간색 수박맛과 하얀 망고맛의 과일 백설기입니다. 이 떡의 가장 좋은 점은 띠부띠부씰이 함께 들어있다는 것입니다. 맛있는 떡도 먹고 띠부씰도 전부 모아보세요!

폭탄떡

최진우 지음

먹으면 입 안에서 탕탕 폭폭 터지는 폭탄 떡입니다. 입 안이 심심하고 지루할 때 이 떡을 먹으면 재미있습니다. 숙제하거나 졸릴 때도 이 떡을 먹으면 잠이 번쩍 깹니다.

달달떡

최송우 지음

달콤한 생크림으로 만든 달달떡입니다. 생크림에 설탕을 섞어서 쫀득쫀득하게 떡처럼 만들었습니다. 여러 가지 과일맛이 섞인 무지개 색깔 떡케이크라서 생일 파티에도 좋습니다.

번개떡

이원영 지음

먹으면 몸이 번개처럼 날아가는 듯한 느낌이 드는 번개떡입니다. 바나나맛 백설기로 만들었습니다. 이 떡을 한 입 먹으면 플래시처럼 빠르게 달릴 수 있지만 너무 빨라서 여기저기 부딪힐 수도 있습니다.

호랑이 떡

전아인 지음

“어흥! 떡 하나 주면 안잡아 먹지!”

옛날 이야기 속 호랑이는 매일매일 떡 파는 할머니를 쫓아와서 떡을 받아먹습니다. 애써서 만든 떡을 빼앗기는 할머니는 무척 억울할 것 같아요. 그래서 그럴 때 사용할 수 있는 떡을 만들었습니다.

호랑이가 와서 떡을 달라고 하면 이 떡을 꺼내서 “이 아이가 너의 아이다. 네가 남의 떡을 빼앗아먹는 모습을 이 아이에게 보여주고 싶은 것이냐?”라고 혼내면 호랑이는 부끄러워서 도망갈거예요.

주황색 감귤떡과 까만 흑임자떡으로 줄무늬를 만들고, 하얀 백설기 이빨에 빨간 딸기시럽으로 호랑이의 입을 만들었습니다. 보기에도 귀엽고 맛도 있답니다!

고구마, 주인공이 되다!

고구마의 추억

곽금호 지음

처음 만났을 때는 그냥 하나의 고구마라고 생각했지만, 다시 너를 찾고 싶다는 마음이 들었을 때는 너의 모습과 느낌을 간직하고 싶었어.

땅 속에서부터 고구마 상자까지 나를 만나기 위해 어두운 곳에서만 지내왔을거란 생각에 가여운 마음이 들었지만, 그럼에도 불구하고 반듯하게 예쁘게 자라주어서 너의 모습은 아름답게 보였어.

그리고 너만의 독특한 한 가닥 수염은 정말 매력적인 포인트야. 네가 어디를 가더라도 나는 한 눈에 너를 알아보고 찾을 수 있어.

그러니 우리 서로를 잊지 말고 각자 어디를 가더라도
행복할 수 있도록 응원하자.

나는 고구마구마

곽세음 지음

나는 고구마구마

나는 털이 많이 났구마

나는 생고구마구마

그러니 사람들은 나를 먹지 않겠구마

결국 사람들이 나를 버리겠구마

나는 생고구마가 아닌

찐고구마가 되고싶구마

내 고구마

이수민 지음

독서활동 시간에 고구마 찾기를 했다.

커다란 상자 가득 들어있는 고구마 중에 하나를 골라서

자세히 관찰한 다음 비닐봉지에 넣고 섞은 뒤에

내 고구마를 찾아내는 놀이였다.

내 고구마는 주름이 두 개 있다.

눈처럼 생겼다.

꼬리도 있다.

꼬리 부분은 색깔이 다르고 두껍다.

입 부분은 노란색이다.

코도 아주 길쭉하다.

상자에 넣을때는 못 찾을까봐 걱정했는데,

다시 보니 한 눈에 알아볼 수 있었다.

고구마를 다시 가져오니까 고구마가 내게 말을 했다.

나는 수민이의 고구마구마!

나를 봉지에 넣었다가 다시 찾아왔구마.

수민이가 나에게 눈코입을 만들어줬구마!

덕분에 앞을 볼 수 있고, 냄새도 맡고 먹을 수도 있구마.

고맙구마!

하지만 날 먹는다고 하면 화가 나는구마!

먹으면 화낼거구마.

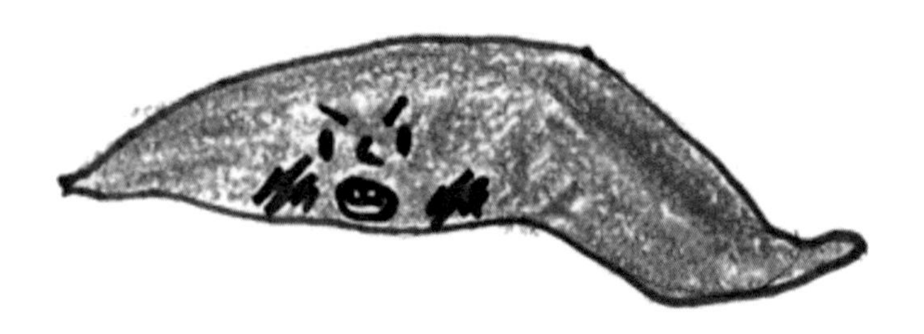

고구마

이수현 지음

내 고구마는 세상에서 제일 예쁘고 맛있게 생겼다. 이 고구마를 만날 수 있었던 건 엄청난 인연인 것이다. 너는 나를 만나기 위해 어두운 흙속에서 무수히 많은 힘든 상황을 견뎌내며 이리도 멋지게 자라서 나를 만났구나. 이렇게 멋있는 고구마를 어떻게 빛을 발하도록 새롭게 탄생시켜 줄 것인가?

엄마 뱃속으로 들어간 진우의 고구마

최진우 지음

나는 진우의 고구마구마.

진우는 고구마를 싫어해서 내가 썩고 있구마.

이렇게 내 인생도 끝이구마.

...라고 생각한 순간.

엄마가 나를 전자레인지에 돌렸구마.

따뜻해서 정말 좋았구마.

엄마 뱃속으로 들어왔더니

먼저 와 있던 다른 고구마들도 만났구마.

친구가 많이 생겨서 정말 좋구마.

고구마 찾기

이황은 지음

- 고구마의 입장에서

나는 훌륭하고 멋진 최고의 고구마가 되기 위해 오랫동안 노력했구마. 언니, 오빠, 동생의 영양분까지 빼앗아 먹으면서 열심히 몸을 키웠구마. 그런데 우리 주인이 우리 가족을 쏙 뽑아가더니 요리를 하지 않고 그냥 상자에 넣어버렸구마.

덜컹덜컹, 흔들흔들 차를 타고 도착한 곳은 도서관이었구마. 도서관에서 사서 선생님이 우리가 들어있는 상자를 열었구마. 그리고 우리들을 꺼내더니 누구는 굽고, 누구는 찌고, 누구는 그냥 남겨두었구마. 도대체 기준을 알 수 없구마.

나는 쪄주지도 않고 구워주지도 않은 채 그냥 남겨져서 서운했구마. 하얀 접시에 군고구마와 찐고구마를 양 옆에 두고 누워있으니 초라해 보여서 슬펐구마. 그런데 그 때 은솔이와 은솔이 엄마를 만났구마. 고구마 찾기를 한다면서 나를 다른 고구마들과 함께 비닐 봉지에 섞어버렸지만 결국은 다시 찾아줬구마. 다행이구마!

– 엄마의 입장에서

나는 한 박스나 되는 고구마 중에서 내 고구마를 찾을 수 있을 거라는 자신감이 있었다. 내 고구마에는 귀여운 기와집 모양의 상처와, 그 아래에 멋진 자동차 모양의 흙자국이 있었다.

아이가 우리의 고구마를 잘 찾아와서 너무 기쁘고 대견했다. 마치 졸업발표회나 하교 시간의 교문 앞, 단체사진 속에서 반짝거리는 내 아이를 발견했을 때 같았다. 내 고구마가 빛나 보였다.

이렇게 만난 고구마와의 만남은 반가웠고, 애틋했고, 귀엽고, 행복했다.

삶은 음식

삶은 삼계탕

곽금호 지음

삶은 삼계탕이다.

닭은 매일 아침 사람들을 깨우기 위해 울고, 맛있는 계란후라이와 달걀말이를 만들기 위해 달걀을 주고, 매일 뛰어다니며 대퇴사두를 튼튼히 해서 삼계탕의 맛있는 닭다리가 된다.

그렇게 누군가에게 도움을 주고, 영양분을 제공하며 에너지를 북돋아주는 것이 삶이다.

* 대퇴사두: 넓적다리와 허벅지 근육

삶은 큰 당근

곽세음 지음

삶은 큰 당근이다.

토끼는 당근을 먹으면 좋아한다.

우리도 살아가면서

자신이 좋아하는 음식을 먹으면 좋아한다.

그런데 좋아하는 음식을 더 먹으면

더 좋아지니

우리의 삶은 큰 당근이다. 당근!

삶은 김치

김현주 지음

삶은 김치다.

너무 시어버려 그냥 먹기엔 맛이 없는 김치도

맛있는 요리가 될 수 있는 것처럼

삶에서도 너무 늦어버려

포기하고 싶은 순간이 있지만

오히려 더 멋진 일이

생길 수 있기 때문이다.

삶은 고구마

이수민 지음

삶은 고구마다.

삶아서 먹어도 맛있고, 튀겨서 먹어도 맛있고, 구워서 먹어도 맛있는 고구마처럼

삶에서도 한 가지 길이 아니라 여러 가지 길로 갈 수 있기 때문이다.

그래서 삶은 고구마다.

삶은 가래떡

이지완 지음

삶은 가래떡이다.

시험을 볼 때면 긴장해서 쫄깃쫄깃해진다. 그러다가 좋은 성적을 받으면 떡을 꿀에 찍어 먹을 때처럼 달콤하다. 그럴 땐 가래쩍이 먹고 싶다. 그래서 삶은 가래떡이다.

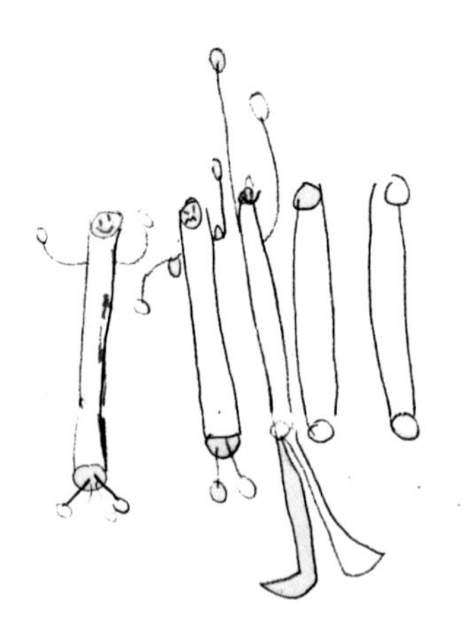

삶은 토마토

김시온 지음

대부분의 아이들은 토마토를 싫어한다.

그래서 토마토를 보면 누군가를 싫어한다는 느낌이 드는데, 삶에서도 누군가를 싫어한다거나 누군가가 나를 싫어하는 순간이 한 번 쯤은 있기 때문이다.

그래서 삶은 토마토이다.

삶은 팥

최진우 지음

팥은 여러 음식에 들어가고 나쁜 기운이나 귀신을 쫓는다. 삶에서는 고민될 때 팥빙수를 먹으면 고민을 쫓아내서 나쁜 기운이 사라진다.

그래서 삶은 팥이다!

삶은 스파게티

최송우 지음

스파게티는 크림 소스와 잘 어울린다.

스파게티는 토마토 소스와도 어울린다.

스파게티는 간장 소스와도 잘 어울린다.

스파게티는 여러 소스와 어울린다.

나도 여러 친구들과 잘 어울리고 싶다.

그래서 삶은 스파게티입니다.

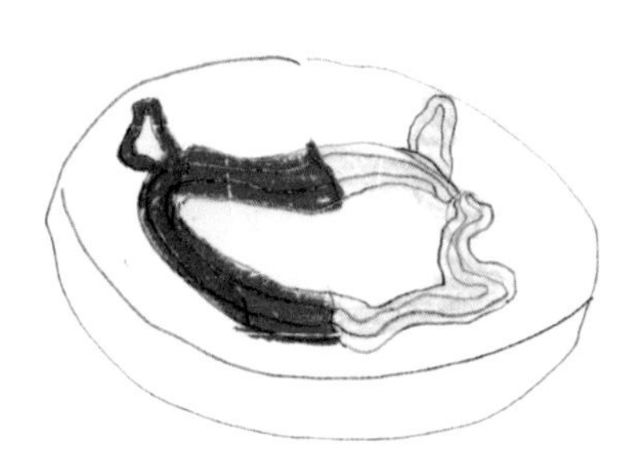

삶은 만두

이황은 지음

삶은 만두다.

다양한 종류의 만두소를

얇은 만두피로 잘 감싸서 붙이면

속을 알 수 없는 만두가 된다.

사람의 다양한 추억과 경험을

그의 마음에 담으면

그 사람만의 만두가 된다.

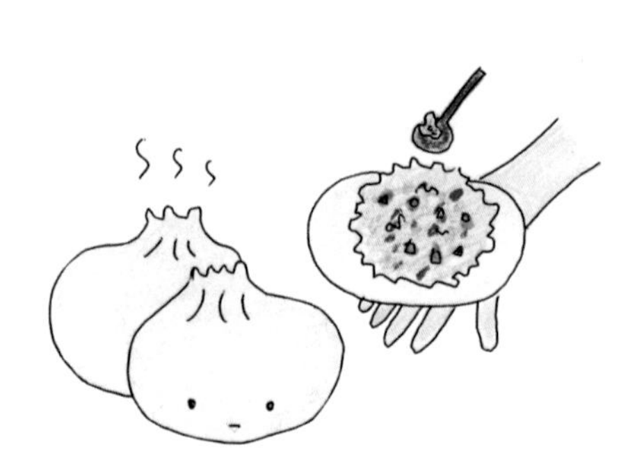

삶은 달걀

정숙현 지음

삶이란 뻑뻑한 삶은 달걀을 먹는 것처럼 목이 메이고 뻑뻑할 때가 있다. 그러나 때로는 기차 여행 중에 사이다와 함께 먹을 때처럼 막힌 속이 뻥 뚫리며 내려가는 순간도 있지. 삶은 뻑뻑하고 답답한 순간도 있지만 사이다 같은 친구와 함께 하는 시간이 있기에 그 뻑뻑함조차 달콤하고 즐겁다.

Life is Egg. 에구에구... 에그그...

삶은 샤인머스켓

이원영 지음

삶은 샤인머스켓이다.

여러 모양의 포도알이 있는 것처럼

내 기분도 여러 가지이기 때문이다.

귀찮을 때는 샤인머스켓을 한 입에 쏘옥

화가 났을 때는 샤인머스켓을 와그작 씹어먹는다.

기분이 좋을 때는 껍질을 까서

말랑밀랑한 알맹이만 먹는다.

슬플 때는 먹지 않고 바라만 본다.

삶은 가지

한현숙 지음

삶은 가지다.

독특한 식감에 호불호가 갈리지만

알고 보면 맛과 영양이 풍부한 것처럼

삶도 좋고 싫음이 존재하지만

그 시간이 흘러 뒤를 돌아보면

어느 새 좋고 싫었던 것들이 모두

나의 삶에 피가 되고 살이 되기 때문이다.

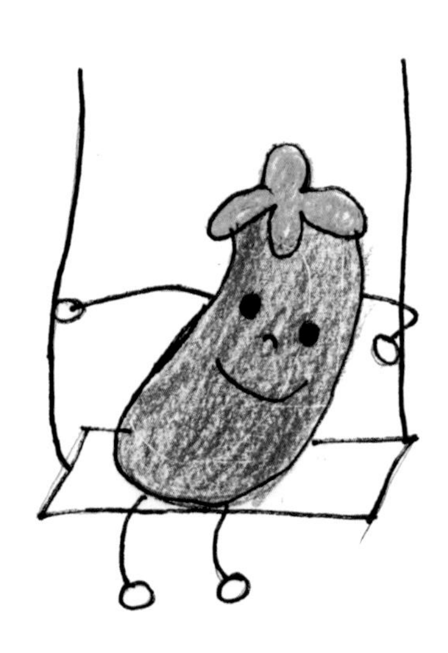

삶은 딸기

김지유 지음

삶은 딸기다.

딸기는 초록색에서

빨간색으로 변하는데

삶도 소심했다가

열정적으로 변한다.

제3장

냠냠쩝쩝 즐겁게 노래하기

평소에는 별 생각없이 먹었던 음식들.
하지만 생각해보면 아무리 흔한 밥이라도
나만이 가질 수 있는 생각과 느낌이 있습니다.
밥상의 김치가 말을 걸어오는 듯한 상상,
반찬을 앞에 두고 떠오르는 부모님과의 추억,
먹고 싶은 음식이나 먹기 싫은 음식에 대한 생각 등을
솔직하게 표현하여 짧은 시로 엮어내 봅니다.

밥

곽세음 지음

나에겐 그저 심심한 밥상

하지만 밥상속에는 신기한 일들이 일어나지.

그 시각 누군가는 생선을 잡고.

또 다른 사람은 공장에서 일하고.

또 다른 사람은 장을 보지.

지금 이 사소한 밥상에는 많은 이야기가 담겨있어.

또 밥은 매일 랜덤이니 재미있잖아!

하지만 우리 엄마가 카레를 만들면

3일은 계속 카레를 먹어.

이건 좀 고통스러워.

김밥

곽세음 지음

여러 가지 속재료가 어울려

맛있는 김밥!

속재료 좀 잘 가지고 다녀!

다 흘리잖아!

차례상

김남희 지음

하나, 둘 올라온다.

끝도없이 올라온다.

입맛 돋우는 짭잘한 고기 산적

이른 아침부터 대기중인 밤과 대추

찬물에 손 식혀가며 찢어놓은 삶은 닭

할아버지 좋아하시는 담백한 조기

윤기 좔좔 밥도둑 김

먹어도 먹어도 질리지 않는

동그랑땡도 빠질 수 없지.

약과, 사과, 사탕, 배

줄줄이 올라온다.

가득 메워지는

진수성찬의 향연

할아버지 보실라
몰래몰래 먹는다.

향 냄새로 코가 매워지기 전에
고모들이 뒤로 쑥!
입 벌리고 냉큼
받아먹는다.

우리는 달라

김남희 지음

쭉쭉 늘어나는 고소한 치즈

파스타도

피자도

빵에도

볶음밥에도

돈까스에도

빠지면 섭섭한 화룡점정 마무리.

풍미도 식감도

재미난 이 치즈로

만들어 먹고 싶은 요리가 많고 많은데

너는 왜 이걸 싫어할까?

알록달록 송편

박수현 지음

알록달록

색 송편을 먹고 싶어.

나는 초록색 송편.

나는 분홍색 송편.

나는 하얀색 송편.

너도나도 알록달록

송편 같이 먹자!

파김치가 하는 말

박수현 지음

파를 씻겨주니 파가

"와! 시원한걸." 이라고 말한다.

파에게 고춧가루를 묻히니 파가

"아우! 눈이 매워!" 라고 화를 낸다.

그렇게 완성된 파김치.

맛있게 먹으려고 하는 순간 파가

"안 돼! 먹지마!" 라고 꽥 소리를 질렀다.

하지만 나는 그 소리를 못듣고 그만...

먹어버렸다.

"아삭아삭"

네 팩에 만 원

김선경 지음

꼬득꼬득 고사리

초록초록 시금치

슴슴한 무나물

아삭아삭 숙주나물

네 팩에 만 원.

고마운 반찬가게

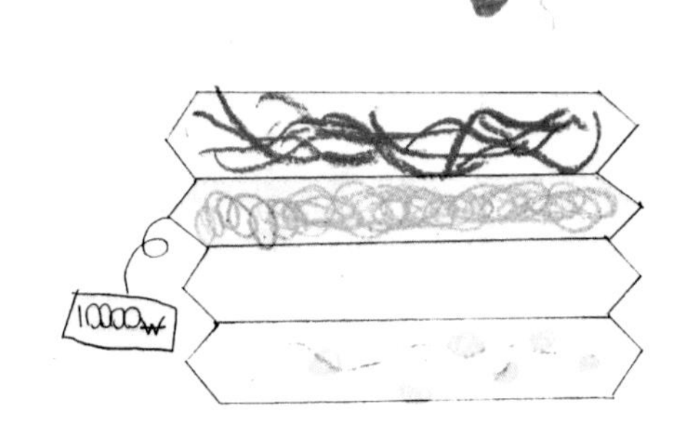

간단하고 건강하게

양심상 밥은 짓고

시간 남으니 계란 후라이도 하나

너희들은 간장 한 스푼

나는 고추장 두 스푼

참기름은 쪼르륵 우리 모두 다같이

아이고, 맛있다.

비빔밥 최고.

오늘도 한 끼 해결.

배추약 상추꼬

이가은 지음

나는 나는 삐약이약! 배추 좋은 삐약이약!

내 동생 빠약이도 좋아해, 아삭아삭 배추를

신기한 배추를 발견해서 키웠지.

안에서 나왔지 뾰약이가 나왔지.

많은 알을 찾았지. 배추약을 만났지.

난 꼬꼬댁요. 엄마 꼬꼬댁요.

우린 상추를 좋아하는 가족이요.

상추밭 친구들과 놀 줄 알아요.

콕콕 먹으며 맛있게 논다요.

달팽이도 만들며 논다요.

김치 한 번

이가은 지음

매워매워 먹기싫어

매운 걸 싫어하는

나에게는 먹기싫어

하지만 나온다

학교에서는 매일

친구 한 번 먹는다.

나도 눈치껏 먹는다.

김치 한 번 먹는다.

이나의 동그란 것

이가은 지음

내 동생 이나가 그랬어요
블루베리 먹느라 정신이 없다고

내 동생 이나가 그래요
콩 먹을 땐 콩만큼 빨라요

내 동생 이나는 이래요
밥을 동그랗게 먹어요

내 동생 이나는 좋아해요
동그란 과자가 좋대요

이것이 그것이에요
이나의 동그란 것

우리 반 남자애들은

이가은 지음

우리 반 남자애들은

돈가스

수박

귤

야쿠르트를 좋아한다.

돈가스는 나도 좋아하는데.

급식을 다 먹고 나서

돈가스를 한 번 더 받으러 가면

우리 반 남자애들이

항상 먼저 달려나가서

다 받아간다.

난 못받아서 아쉬울 때 있다.

악어국, 쓰레기국

김은정 지음

어렸을 적 엄마가 아욱국 먹자!

하시면 악어국인줄 알고 먹었고

시레기국 먹자!

하시면 쓰레기국? 하며 먹었다.

악어 고기는 왜 이리 구수할까?

쓰레기는 왜 이리 맛있을까?

어린 마음에 감탄하며 먹었다.

이제 와서 웃게 되는

구수한 나만의 옛 추억.

딸과 함께 추억을 나누어 먹으면

꺄르르 웃음으로 답해준다.

가래떡

정아영 지음

"안녕하세요!"

가래떡을 일자로 서게 하면

이리 흔들 저리 흔들

이리 출렁 저리 출렁

여기 저기 인사를 한다.

인사성도 참 바른

맑은 마음을 가진

새하얀 가래떡

출렁 출렁 하도 흔들려서

출렁다리에 연결하면

누가 떡인지 다리인지 아무도 모를 걸?

그런데 진짜로 건축가 아저씨가

출렁다리를 지으며 출렁대는 가래떡을

실수로 출렁다리에 붙이면 어떡하지?

광어야, 고마워!

정아영 지음

광어야, 고마워!

어부들에게 잡혀 주어서.

광어야, 고마워!

나한테 오려고

너의 예쁜 비늘을 벗어주어서.

광어야, 고마워!

내가 너를 먹게 해 주어서.

꿀꺽! 음~ 쫄깃해!

광어야, 고마워!

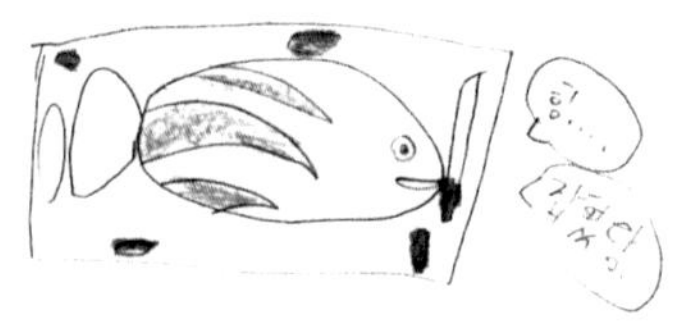

외로운 총각김치

정아영 지음

총각김치야,

너는 왜 이름이 총각김치니?

너는 나중에

아가씨 김치랑 결혼하면 되겠다.

그런데 아가씨 김치가 없어서 어떡하니?

넌 결혼 못하겠다.

너 혼자 외로워서 어떡하니?

내가 친구 해 줄까?

미역국

정아영 지음

쿵쿵! 오잉?

이게 무슨 냄새지?

으엥~

내 영혼이 저 냄새에 홀렸어.

침이 줄줄. 앗 뜨거!

밥 말아 먹어야지.

미역국이 나한테 인사를 하네.

안녕? 날 먹어줄래?

냠냠, 호로록! 끄억~

내 배가 뜨끈뜨끈

핫팩이 되었다.

옥수수

정아영 지음

수수수수 옥수수 후두둑
엄마가 포크로 긁어서
그릇에 퐁퐁퐁 떨어트려주면
달려들어 냠냠냠

옥수수가 없을 땐
옥수수가 먹고 싶고
옥수수가 많을 땐
고구마가 먹고 싶은
이유는 무엇일까?

아무래도 청개구리가
옥수수에 섞여서
나도 모르게
먹었나보다.

최고로 맛있는 떡볶이

이수민 지음

어떤 떡볶이가 가장 맛있을까?

가래떡 떡볶이가 가장 맛있어!

아니야, 밀떡이 가장 맛있어!

떡볶이는 너무 매워.

매울 때는 만두를 먹으면 괜찮아져!

하지만 제일 맛있는 떡볶이는

학교 끝나고 친구들과 같이 먹는 떡볶이야!

맞아!

우리 같이 떡볶이 먹으러 가자!

좋아! 이제 가자!

사탕 비빔밥

이정윤 지음

주황주황 당근

초록초록 시금치

노랑머리 콩나물

꼬불꼬불 상추

마지막으로 계란이불 덮고

참기름을 뿌려주면

비빔밥 완성!

하지만 다음에는

주황색, 초록색, 노란색

사탕 넣어주세요.

파김치

이수민

나는 파김치.

오늘은 미역국을 만났네.

따뜻한 미역국에 파김치 하나 올려

냠냠 먹어버렸네.

나는 파김치.

이번엔 짜파게티를 만났네.

포크로 면발과 함께 돌돌 말아

후루룩 먹어버렸네.

나는 파김치.

앗! 하얀 쌀밥이다!

따끈한 밥 한술에 파김치 올려

아삭아삭 먹어버렸네.

역시 파김치에는 따뜻한 밥이 최고지!

맛있는 떡, 맛없는 떡

이정윤 지음

맛있어 꿀떡

무지개 꿀맛

싫은떡 콩설기

맛없어요 시루떡

콩 때문에

고양이들의 떡 파티

강현경 지음

여기에 정말 맛있는 떡이 있다옹!

원 플러스 원 해달라옹! 야옹!

우리 떡 파티를 하는게 어떠냥?

좋아좋아 모두 함께 춤추자옹!

이제 맛있는 떡 컵으로 들어가자옹!

너무 배부르다옹......

안돼안돼. 계속 떡을 먹어야한다옹.

모두 함께 떡으로 공놀이 하자옹!

야옹! 떡 먹으면서 떡 굴리기 놀이 재밌다옹!

우리 지구는 비빔밥

이시현 지음

여러 가지 재료가 들어간

비빔밥처럼

우리 지구도 여러 재료가

들어있어

피부색, 성격, 외모 등

모두가 달라도

한 지구에 있잖아.

한 그릇에 들어있는 재료처럼.

그러니까 우리 지구도

비빔밥 아니겠어?

궁금한 밥

이지완 지음

콩밥아,

넌 언제부터 콩콩 걸었니?

개미가 밟히겠다.

찰밥아,

너희들은 친구니?

항상 꼭꼭 붙어있구나.

김밥아,

넌 힘들지 않니?

모든 재료를 꽉 껴안고 있으니 말이야.

밥아,

넌 외롭지 않니?

옆에 아무도 없는데.

멥쌀밥의 질문

김시온 지음

멥쌀밥이 김밥에게

"너 이불 어디서 샀니?"

멥쌀밥이 비빔밥에게

"너 어디서 불 붙여왔니?"

(불 끄면 간장비빔밥)

친구들이 멥쌀밥에게

"넌 왜 그렇게 맵니?"

멥쌀밥이 화들짝 놀라

"절대로 매운 쌀이 아니예요. 절대로 매운 밥이 아닙니다. 진짜로 하얀 쌀밥입니다."

※ 멥쌀: 찹쌀보다 찰기가 적은, 흔히 밥을 지어먹는 쌀

달달한 무지개떡, 느끼한 콩떡

최송우 지음

무지개떡은 달달한 맛이 난다.

콩떡은 이상하게 느끼하다.

입이 심심하고 뭔가 끈적한 걸 먹고 싶을 때

무지개떡을 먹으면 좋다.

콩떡은 돈을 안주고 공짜로 받을 수 있으면 먹을거다.

뭔가 색다른 걸 먹고 싶고 배가 고프면

무지개떡을 만들어 주면 좋겠다.

진짜 좋아하는 것

이황은 지음

시루떡을 보여주니
“우와~ 맛있겠다.”
오른손으로 덥석.

백설기를 보여주니
“우와~ 맛있겠다.”
왼손으로 덥석.

꿀떡을 보여주니
“우와~ 우와~ 엄마 이거 먹어.”
시루떡과 백설기는 엄마 입에 넣어주고
꿀떡은 자기 입에 쏙!

밥도둑

이황은 지음

푹 익은 묵은지로 보글보글 지글지글
김치찌개 먹어봤어?

매콤달달하고 두툼한 돼지고기
제육볶음 먹어봤어?

짭쪼름한 양념 속 싱싱한 오징어
오징어볶음 먹어봤어?

칼칼한 양념과 포실포실 감자
갈치조림 먹어봤어?

오늘도 외친다.
“밥 한 공기 더 주세요!”

쑥개떡

이황은 지음

못생긴 쑥개떡
울퉁불퉁 쑥개떡
초록초록 쑥개떡

모양도 못생기고
색깔도 안예쁘고
맛도 거칠지만

우리 엄마는 좋아했다.
봄마다 큰 봉지 가득 캐오신 쑥.
허리 아프다, 무릎 아프다 하며 캐오신 쑥.
집안 가득 향긋한 쑥향기.

이제 어른이 된 나는
엄마의 쑥개떡이 다시 먹어보고 싶다.

인절미

김은솔 지음

맛있는 인절미는 말랑말랑

쫀듯쫀듯한 인절미는 콩가루 옷 입고

따뜻한 후라이팬 침대는 따끈따끈

인절미가 후라이팬 침대에 누우면

따끈따끈 늘어져 잠든다.

추석 모둠전

김은솔 지음

추석에 모둠전이 모였어요.

꼬치전, 깻잎전, 버섯전,

호박전, 김치전, 동태전.

그리고 밤하늘엔

커다란 보름달전을 부쳤어요.

칼의 마음

이원영 지음

나는 칼이다.

재료를 손질하면서 나를 내려칠 때는

너무 아프다.

저건 또 뭐야?

피가 뚝뚝 떨어지는 고기에 나를 집어넣는다.

끔찍하구나.

느낌이 이상한데...

석석석 시원한 느낌, 천국에 온 기분.

수박이구나!

돌돌말이

한현숙 지음

우리네 정겨운 음식
언제 먹어도 맛있는 음식
소풍가는 날 아침
온 집안에 참기름 냄새 솔솔

무지무지 샛노란 단무지
튼튼대왕 시금치
눈이번쩍 당근
폭삭폭삭 계란지단
쏙쏙 먼저 빼먹는 햄
깨 톡톡 고소한 밥

모두모두 돌돌말아 합체!
알록달록 최고의 추억 하나 추가
먹고 먹고 또 먹고
내일도 먹을래요!

최고의 전

한현숙 지음

고기 품은 전들아 모여모여!

살살 녹는 육전

동글동글 동그랑땡

부들부들 깻잎전

매콤매콤 고추전

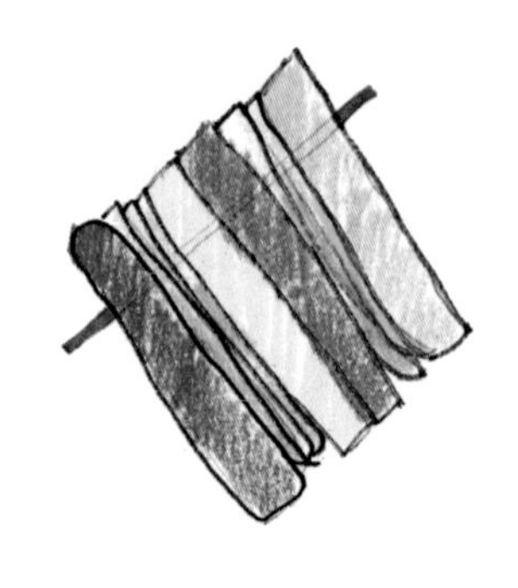

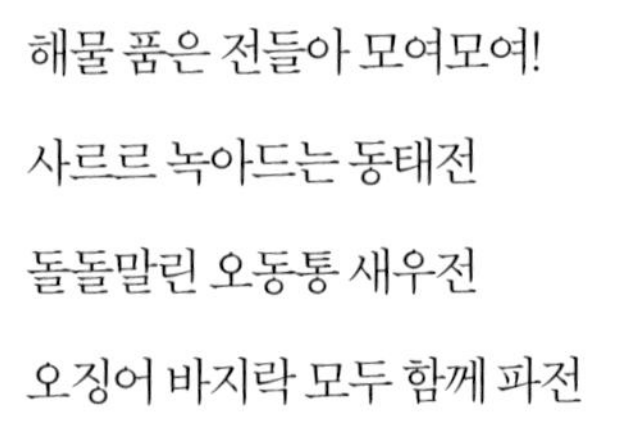

해물 품은 전들아 모여모여!

사르르 녹아드는 동태전

돌돌말린 오동통 새우전

오징어 바지락 모두 함께 파전

그런데 뭐니뭐니해도

햄넣고 파넣고

맛살넣고 단무지 넣은

꼬치전이 최고야 최고!

양념 족발

한현숙 지음

어디선가 숯불향이 솔솔

무엇일까? 무엇일까?

모락모락 김이 폴폴

빠알간 양념에 검은 깨 톡톡

야들야들 부드럽고

쫄깃쫄깃한 이것은

졸졸졸 계곡물 흐르는 곳

시원한 나무그늘 평상에 앉아

뜨겁고 매콤한 양념 족발과 함께

이 더위를 날려본다.

약과

김지유 지음

우리 이모가 만들어준 약과

입 속에 넣으면

달콤달콤

쫀득쫀득

폭삭폭삭

냠냠쩝쩝 음 맛있어~

역시 우리 이모 약과는 최고

백점 만점에 만점이야!

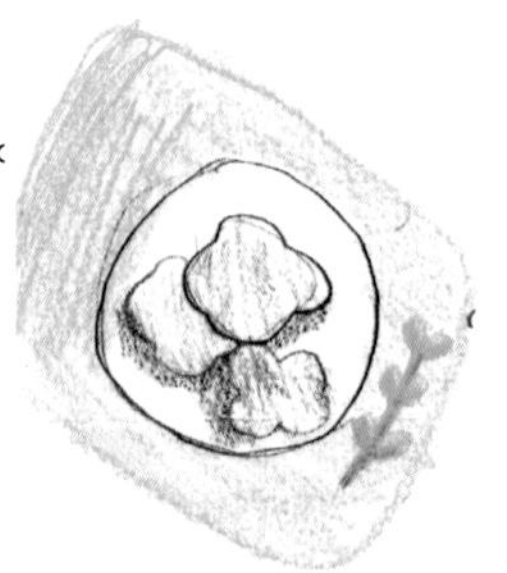

제4장

내가 만든 맛있는 동화

그림책을 읽다 보면 머릿속에서
내가 만든 등장인물과 음식들이 떠오르며
자신들의 이야기를 펼쳐냅니다.
음식들이 살아 움직이는 이야기,
재료를 찾고 요리하며 벌어지는 모험,
모두가 내 경험과 상상을 버무려 만든 동화입니다.
우리 음식을 주제로 써 낸 우리들의 그림동화는
그래서 더 재미있고 맛있습니다.

파전과 막걸리

곽금호 지음

어느 비가 많이 내리는 날이었습니다.

쪽파와 쌀밥이는 즐겁게 비를 맞으며 춤을 추며 놀고 있었습니다. 그런데 갑자기 하늘에서 번개가 번쩍이더니 "우르릉 쾅!" 하며 커다란 천둥 소리가 들려왔습니다.

깜짝 놀란 쪽파와 쌀밥이는 그만 넘어지고 말았습니다.

쪽파가 넘어지던 자리에는 다행히도 밀가루 포대가 놓여있었습니다. 덕분에 쪽파는 다치지 않을 수 있었지요.

하지만 쪽파가 너무 세게 부딪히는 바람에 밀가루 포대가 찢어지고 말았답니다. 흘러나온 밀가루와 빗물이 섞이며 밀가루 반죽이 되었습니다. 쌀밥이도 넘어져서 밥알들이 우수수 바닥에 떨어졌습니다. 비바람이 몰아치며 데굴데굴 굴러다니던 동그란 누룩이 빗물에 떨어졌던 밥알들과 뒤엉켜 버렸지요.

"기다려! 우리가 구해줄게!"

기절해 있는 쪽파를 도와주기 위해 다른 쪽파 친구들이 달려왔어요. 하지만 모두가 빗길에 주루룩 미끄러지며 다들 밀가루 반죽 위로 넘어지고 말았지요.

쌀밥이도 넘어졌던 충격으로 밥알이 다 쏟아져 버렸고, 누룩도 빗물에 녹아버려서 여러 밥알들과 끈적끈적하게 붙어버렸습니다.

비가 그친 후, 쨍쨍한 여름 햇살이 한참동안 내리쬐었어요. 땅은 뜨겁게 달구어져 아지랑이가 피어오를 정도였지요. 그러자 밀가루 반죽과 뒤엉켜있던 쪽파는 맛있는 파전이, 누룩과 범벅이 되었던 쌀밥이는 막걸리로 변해버렸습니다.

땀을 뻘뻘 흘리며 밭일을 마치고 돌아가던 농부가 이걸 보고는 "이게 왠 파전과 막걸리람?" 하고 외치며 시원한 나무 그늘에 앉아 파전과 막걸리를 맛있게 먹었대요.

악마의 비빔밥

곽세음 지음

내 이름은 김악마. 인간들 사이에 정체를 숨기고 사는 악마야. 나랑 제일 친한 친구 박악마는 친구들에게 자기가 악마라는 걸 들켜버렸어. 그래서 전학을 가버렸지.

내 친한 친구가 사라져서 조용히 하루하루를 보내던 어느날이 었어.

학교에서 요리사 체험학습을 가는 날이 되었어.

나는 요리를 좋아하는 악마라서 신이 났지.

도착해서 요리를 만드는데, 오늘의 메뉴가 비빔밥이지 뭐야. 큰일났다는 생각이 들었어.

악마들은 매운맛을 잘 못느껴서 매운 음식은 못만들거든. 그래도 최선을 다해 만들었지만 고추장을 조금 더 조금 더 하다보니 너무 듬뿍 넣어버렸지.

그렇게 30분 후, 내가 만든 비빔밥이 완성되었어.

그런데 밥이 너무 빨간색이더라.

친구 한 명이 "나 매운 거 좋아하는데, 맛있겠다!" 라며

내 비빔밥을 먹었어. 그리곤 매워서 죽을 뻔 했지.

나도 덩달아 악마라는 게 들통날 뻔 했어.

역시 악마 입맛에 맞는 비빔밥은 사람들에게는 너무 매운가봐.

달걀의 수난

김남희 지음

“야수”는 내가 붙인 새로운 이 공간의 이름이다. 이 안은 차가운 냉기만이 가득하다. 차라리 어둡기라도 하면 덜덜 떨고 있는 나와 친구들의 모습이 덜 초라해 보일 텐데, 이 안은 너무나 밝다. 하얀 불빛에 하루 종일 노출되어 어떤 모습도 숨길 수 없고 다른 우스운 생각 같은 건 하나도 나지 않는 지독한 곳이다. 이런 갑갑한 곳에 사나운 냉기만이 시간차를 두고 뿜어져 나와 나를 얼어붙게 한다. 얼음동굴 같은 이곳에 딱 어울리는 이름이다.

내가 야수 안으로 들어오기 전, 잠시였지만 날 따스하게 감싸주었던 엄마의 부드러운 털이 생각난다. 겉으로 보기엔 뻣뻣해 보이는 털이지만 엄마가 품어주시는 그 보드라움에 웅크리고 있으면 ‘따스해!’라는 말이 절로 나오는 아늑한 공간이다. 이보다 더 좋을 수 없을 것만 같았던... 그 안에서 녹아들던 내 둥지, 엄마 품. 그곳이라면 나는 무엇도 될 수 있을 것만 같았다. 언제까지나 그 안락함에 빠져 있을 줄 알았는데, 이제는 아득히 멀어졌을 뿐이다. 그 감촉이 그리워 내 몸에 꼭 맞춰진 올록볼록한 종이상자 안에서 나도 모르게 한껏 몸을 부풀려 보지만 딱딱한 껍질이 더 팽팽하게 느껴질 뿐.

파고드는 냉기가 더 시리다.

'그 포근함을 다시는 느낄 수 없겠지.'라고 생각하니 나도 모르게 눈물이 맺혀 흐르려고 한다. 지나치게 밝은 야수 안에서 울고 있는 나의 모습을 상상하니 끔찍하다. 다시 맺힌 통한의 방울들이 걷잡을 수 없이 비어져 나오기 전에 서둘러 코를 흉 풀어 맺힌 눈물을 단번에 훌쩍 들이켜 본다.

내가 생각해도 딱하기 그지없는 나의 초라한 모습을 야수 안의 친구들에게 마저 들켜버리고 마는 것은 아무래도 싫다. 야수 안에서 얼어버린 듯한(내 처지와 별반 다르지 않은 채소와 과일과 반찬 친구들) 그들이 나를 친구로 생각하는지는 알 수 없지만, 이 외롭고 황량한 곳에서 기댈 곳은 그들뿐이다. 아무도 보지 못했지만 더 이상 비통함에 사로잡히지 않도록 눈시울이 붉어져 오는 것을 애써 참으며 서둘러 눈물을 거둔다.

울록불록한 이 종이상자에 처음 들어올 때, 장갑을 낀 손으로 사뿐히 나를 내려놓아 준 닭장 아주머니의 손길도 생각난다. 내가 깨질까 조심스럽게, 그렇지만 안정감 있는 빠른 손놀림으로 나를 옮겨주었다. 이때까지만 해도 나는 어딘가 새로운 곳으로 떠난다는 기분에 가슴이 벅차올라 심장이 터질 것 같았다. 닭장 안의 다른 진짜 친구들 또한 마찬가지였다. 다들 상기된 얼굴을 하고 수다스럽게 "안녕, 안녕!" 짧은 인사를 고하며 떠날 채비를 한다. 준비라야 한껏 숨을 들이켜 닭장 안의 덥고 습한 공기를 마지막으로 간직해 본 것뿐이지만 말이다.

'쳇, 다들 나를 어여삐 여겨 줬는데 이 꼴이 당췌 뭐람! 아휴...'

주위를 보니 여기 친구들 또한 마찬가지다. 서로 몸을 붙여 조금이라도 온기를 나눌 수 있으면 좋겠지만 그들도 나의 사정과 별반 다르지 않다. 사방이 막힌 네모난 딱딱한 벽 안에 감옥처럼 갇혀 있을 뿐이다. 아니, 내 몸에 알맞은 이 종이상자 안에서 몸을 살포시 기대기라도 할 수 있는 내가 조금 나은 건가? 야수 속 친구들은 서늘한 벽 안에 갇혀 미동도 거의 없다. 가끔씩 "으.. 아... " 하는 외마디 탄성 밖에는... 아무튼, 춥다. 추워!

며칠이 지났을까. 자꾸 잠이 온다. 정신을 온전히 깨고 싶어도 흐리멍텅한 기분에서 벗어날 수 없다. 추위에는 조금 적응이 된 듯도 한데 왜 이리 잠이 오는지 모르겠다. 가끔씩 "퍽" 하는 소리와 함께 문이 열리고 따뜻한 온기가 밀려 올 때마다, 깜짝 놀라 정신이 바짝 든다.

'어디로 가는 걸까?'

여기보다는 안락한 곳일 것이다. 아니, 그렇지 않더라도 괜찮다. 어디라도 여기보다 나쁘지 않을 것이다. 나도 언젠가는 나갈 거라는 작은 희망을 품어본다.

문이 열릴 때마다 자주 마주친 무심한 표정의 사람이다. 입을 앙 다문채로 눈썹과 입술이 반대로 어긋나 구부러져 화가 난 듯도 하다. 한참을 문을 열고 서서 인상을 찌푸리듯 눈동자를 이리저리 굴린다. 왜인지 모르지만 한동안 서서 고심하는 표정이 나또한 못마땅하다. 심드렁한 얼굴로 무언가를 노려보듯 하더니, "오늘은 너로 정했어!" 하며 친구들을 하나씩 데려 간다.

이 광경을 처음 목격했을 때 무척이나 놀랐다. '여기서 나갈 수 있구나!' 머리에 쥐가 난 듯 정신이 번쩍 들었다. 처음엔 그 무심한 아주머니에게 '제발 나 좀 데려가 줘요!'라고 힘껏 외쳤다. 하지만 그녀에겐 아무 소리도 들리지 않는 듯하다. 표정의 변화가 없는 얼굴을 하고 있을 뿐이다. 온 몸을 힘껏 흔들어 내 존재가 아주머니에게 가닿게 힘껏 노력해 보았지만 소용없다. 내 껍질 안의 내장들만이 들썩들썩하다 팽팽해질 뿐, 내 몸을 지탱하고 있는 이 가벼운 종이상자 한 칸만큼도 움직여 보지 못했다.

차가운 이곳에서 내가 선택되기를 간절히 바라고 또 바랐다. 친구들이 하나씩 따뜻한 곳으로 나갈 때마다 내 차례가 오기를 그토록 바라고 또 기도했는데 언제나 나만 남는다. "안녕!" 너무나 짧은 헤어짐의 외마디 인사를 건네며 하나 둘씩 따뜻한 기운이 스며

드는 문 밖의 세상 속으로 사라진다. 하나같이 기쁨에 벅찬 같은 얼굴을 하고.

'저 문 너머에 무엇이 있을까?'

그럴 때마다 내 몸 안의 탱글탱글한 끈끈함이 조금 팽창하는가 싶더니 이내 돌아온다. 문이 잠깐씩 열릴 때마다 마주쳤던 무심하고 통통한 구원자의 딸로 보이는 작고 어린 인간이 뒤에서 외치는 소리가 들린다.

"엄마, 나 달걀 먹어도 돼요?"

이 말과 함께 그 어린 인간의 주인은 나를 예상치 못하게 데려간다.

'나의 기도! 나의 바람을 누군가 듣고 있었나 보다! 감사해요. 땡큐~!'

막상 기다려온 순간이 눈앞에 있으니 무척 떨린다. 드디어 따뜻하고 통통한 손에 가뿐이 들려가는 느낌이 든다. 친구들을 밖으로 데려갔던 그 손에 실려 드디어 나도 따뜻한 바깥으로 나간다. 춥고 외롭고 삭막했던 야수에서 탈출시켜 주기를 그토록 바랐는데 이런 순간이 오다니 무척 떨린다.

"야~호!"

"톡!"

둥근 나를 깠다.

내 안에 있는 내장이 액체처럼 주르륵 흘러나왔다.

"안 돼! 어지러워~!"

무언가 둥글고 차가운 그물처럼 생긴 기분 나쁜 것이 나를 휘젓는다. 그러는 사이 먼저 나가 있던 퍽퍽한 버섯이 내 위를 덮친다. 눈이 안 보여서 "으악!" 비명을 질렀다. 괴로워하고 있는데 양파도 왔다. "으앙~ 매워!"

정신이 없는데 "수현"이라는 어린 인간이 호기심 어린 얼굴로 히죽 웃으며 나를 쳐다보며 말한다. "엄마! 내가 저어도 되지?"라며 허락을 구하는 모양이다. 마음속으로 기도했다.

'저의 모든 걸(앗! 가진 게 이 비루한 몸뚱이밖에 없구나! 뒤늦게 깨달았다!) 다 바칠 테니 제발 허락하지 마세요!'라고 존재하지 않는 손발이 생길 것처럼 빌고 또 빌었다.

무심한 표정의 이 아주머니는 결국 나를 혼란스럽게 만든다. "그러렴!"이라는 무시무시한 허락의 말이 떨어지자 나는 다시 빙글빙글 돌기 시작한다. 하늘에서 정체 모를 하얀 아니 검은 가루도 마구 떨어진다. 너무 따가워서 차라리 정신을 잃고 싶은데, 말짱한 것이 원망스럽다.

"머리 아파~! 그만 저으라고~!"

아무리 외쳐도 소용없었다. 나는 어느새 따끈한 프라이팬에 버섯과 양파를 감싸고 납작해져 있다.

'그래, 신은 존재해!'

이젠 어지럽지도 않고 따끈해져 오는 등의 온기를 느끼며 그물로 된 하늘을 쳐다보고 있으니 그동안 힘들었던 것이 저 먼 일이었던 냥 생각된다. 추운 겨울, 노천 온천탕에 들어가 몸을 덥히는 할아버지의 마음이란 게 이런 걸까? 몸과 마음의 평화가 찾아오니 심지어는 경건함까지 생각하게 된 내가 조금 가소롭게 느껴진다. 이런 민망함도 잠시 이내 진정으로 평안을 느낀다.

그것도 잠시, 조금 오랜 시간을 그렇게 내 몸의 끈끈한 액체와 버섯과 양파와 유영하며 즐기고 있는데 견디지 못할 정도로 점차 달아오른다. 끈끈한 내 몸의 일부는 점점 굳어져가고 물기 하나 없이 빳빳해지는 동시에 가벼워짐을 느낀다. 이러다 완전히 타버리지는 않을지, 소멸하지는 않을지 걱정이 앞선다. 이 와중에 아이는 낭랑한 목소리로 외친다.

"엄마! 맛있는 냄새! 어디서 나는 거야? 다 됐어? 맛있겠다아!"

'도대체 뭐가 돼 가고 있는 걸까?'

내 몸은 버섯과 양파와 원래부터 한 몸인 듯하다.

'촉촉하면서도 바삭하게 느껴져.'

방금 전까지만 해도 도저히 견딜 수 없을 것만 같았는데, 나는 버섯과 양파의 멋진 외투가 되었다. 내가 선택한 운명은 아니지만 생각보다 꽤 괜찮은 존재가 된 것 같은 이 새로운 충만함으로 나는 변신했다. 마치 그러기 위해 태어난 것 마냥 내 몸에 착 붙는다.

둥글고 하얀 접시 위에서 뜨거워진 내 몸을 식히며 시원하게 놀고 있다. 새로운 내 모습이 조금은 낯설지만 꽤 마음에 든다. 시원하고 가느다란 쇠붙이 두 개가 내 몸에 닿으며 붕 뜬다.

내 마음도 두둥실 하늘에 닿는다.

"바사삭"

애호박을 찾아서

박수현 지음

추운 겨울, 당근이는 엄마 심부름으로 시장에 다녀오는 길이었어요. 저녁 반찬으로 애호박 세 개를 사오라고 포도씨 돈을 주셨거든요. 당근이는 애호박을 보며 이름도 붙여주었답니다. 첫째는 길쭉해서 길쭉이, 둘째는 꼭지가 남들보다 짧고 귀여워서 꼭지, 셋째는 예쁜 초록색 애호박이라서 초록이라고 부르기로 했어요.

그런데 이게 어떻게 된 일일까요? 당근이가 숲길을 지나다가 너무 추워서 모닥불을 피워 몸을 녹이는데 방금 전까지만 해도 장바구니에 잘 넣어두었던 애호박 세 개가 전부 사라져버렸지 뭐예요! 주변을 둘러보았지만 잃어버린 애호박들은 나오지 않았답니다. 빈 손으로 집에 돌아갔더니 엄마 당근이 걱정스러운 표정으로 말했어요. “이를 어쩌나? 애호박이 없으면 저녁밥을 할 수 없는데. 다시 한 번 잘 찾아보렴.”

당근이는 왔던 길을 돌아가려니 힘들어서 눈물이 나올 지경이었어요. 그래서 엉엉 울며 다시 시장으로 가보았답니다. 시장 가는 길에는 떡집이 있었어요. 힘들어서 터덜터덜 걸어가던 당근이는 떡집 아저씨와 눈이 마주쳤어요. 떡집 아저씨는 당근이를 알아보고 떡을 많이 먹고 힘내라고 하셨습니다. 그리곤 당근이가 좋아하는 가래떡, 무지개떡, 인절미를 주셨어요. '어떻게 내가 좋아하는 떡을 알고 계시지?' 당근이는 궁금해 하며 떡을 맛있게 먹었습니다.

떡을 먹고 기운을 차린 당근이는 다시 시장에 도착했어요. 여기저기를 돌아보며 애호박을 찾아다녔지만 발견할 수 없었습니다. 왔던 길을 되짚어가며 천천히 걷다보니 애호박 한 개를 발견할 수 있었어요. 첫째 길쭉이가 과일가게 옆 길모퉁이에 누워있었던 거예요. 길쭉이는 화가 나서 얼굴이 빨개져 있었어요. "왜 나를 두고 갔어? 함께 데려가야지!" 라고 씩씩대며 투덜거렸습니다. "아휴, 이제 찾았구나, 길쭉아! 네가 거기 있어서 다행이야!" 당근이는 기쁜 표정으로 말했습니다. 그리고 길쭉이를 조심스럽게 가방에 담았습니다.

'나머지 둘은 어디 갔을까?' 당근이는 왔던 길로 더 돌아가 봤지만 애호박을 찾을 수 없었습니다. 그래서 시장 곳곳을 돌아다녔습니다. 너무 추워서 손과 발이 꽁꽁 얼 지경이었지요. 그런데 바로 그 때, 멀리서 연두색이고 길쭉한 것이 두 개 보였습니다. "초록이와 꼭지가 분명해!" 열심히 뛰어가보니 진짜로 애호박들이었어요. 초록이와 꼭지는 추운 몸을 녹이기 위해 따뜻한 김이 뿜어져 나오는 만두가게 앞에서 오들오들 떨며 서로 꼭 껴안고 있었어요. 반가운 마음에 헐레벌떡 뛰어 온 당근이가 힘들어서 숨을 고르고 있을 때였습니다. 갑자기 개 두 마리가 나타나서 초록이와 꼭지를 덥석 물고 가 버리는 게 아니겠어요? 쫓아가려고 해보았지만 개들이 너무 빨라 놓쳐버리고 말았어요. 포도씨 돈도 없어서 터덜터덜 길쭉이만 들고 집으로 돌아왔지요.

엄마 당근이 "애호박은 찾았니?" 라고 물어보았습니다. "한 개는 구했어. 그런데 두 개는 찾기는 찾았는데 숨 쉬고 있는 사이에 개 두 마리가 훔쳐가버렸어!" "이걸 어쩌지? 한 개로는 부족한데. 그러면 돈을 줄테니까 애호박 두 개를 다시 사오렴." 당근이는 포도씨 돈을 받아들고 다시 시장으로 갔습니다. 너무나 지친 나머지 달팽이처럼 느릿느릿 걸어갔지요.

"어? 이게 어쩐 일이지?" 시장 입구에 애호박 두 개가 나란히 앉아있지 뭐예요. "개들이 물고 가다가 침을 흘리는 바람에 미끌거려서 도망쳐 나왔어!" 꼭지와 초록이가 자랑스럽게 말했습니다. 신이 난 당근이는 애호박들을 또 잃어버릴까봐 잽싸게 가방 속에 쏙 집어넣었어요. 그리고 엄마가 주신 포도씨 돈으로는 제일 좋아하는 김밥 두 줄을 샀지요. 숲 속 집에 돌아온 당근이는 시장에서 무슨 일이 있었는지 엄마에게 이야기 해주었어요. 엄마도 "운이 좋았구나"라며 기뻐하셨지요. 너무 배가 고팠던 당근이와 엄마는 김밥을 한 줄씩 나눠먹었어요. 그리고 당근이가 힘들게 구해 온 애호박으로 애호박전과 비빔밥도 만들었습니다. 요리를 하며 맛있는 냄새가 나니까 숲 속 당근 친구들이 모여들었어요. 당근이는 오늘 겪었던 모험을 이야기해주며 친구들과 함께 냠냠 쩝쩝 먹었답니다.

수박 훔쳐먹은 눈호랑이

박수현 지음

어느 날, 눈호랑이가 산책을 나왔다가 산기슭에 일궈놓은 수박밭을 보았어. 이 수박들은 할멈이 애써서 기른, 푸릇푸릇하고 맛있는 수박이었어. 눈호랑이는 너무나 맛있어보이는 수박이 먹고 싶어서 커다란 수박 한 통을 골라서 집으로 가져갔지. 할멈은 집 안에 있느라 눈호랑이가 수박을 훔쳐가는 것도 모르고 있었어.

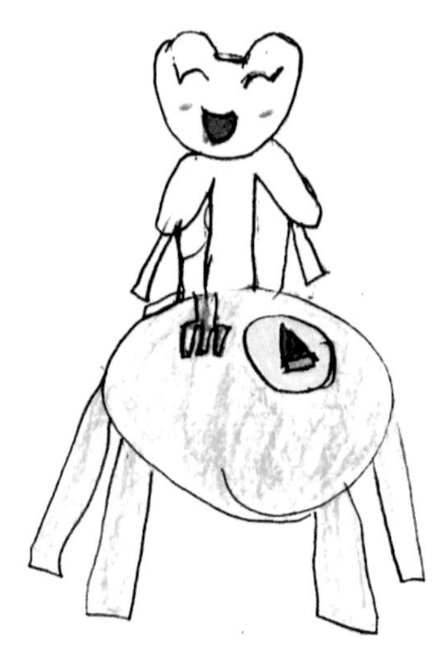

눈호랑이는 눈 쌓인 나무집에서 훔쳐온 수박을 먹었어.

삼각형으로 잘라서 먹기도 하고 꽁꽁 얼려 수박 아이스크림을 만들거나 시원한 화채를 만들어 먹기도 했어. "이것 참 달고 맛있구나!" 어찌나 맛있었던지 날마다 할멈 집으로 가서 수박을 가져왔지.

그러던 어느 날, 할멈이 수박을 따려고 밭으로 갔어. 그런데 이게 웬일이야? 눈호랑이가 수박을 하도 많이 가져가서 할멈이 먹을 게 없었던거야. 할멈은 텅 빈 수박밭을 보며 깜짝 놀랐어. 그래서 범인을 찾기 위해 숨어서 지켜보기로 했어.

할멈이 수박밭에 숨어있으니까 눈호랑이가 밭에 와서 실망하는 표정을 지었어. 밭에 수박이 하나도 남아있지 않았거든. 하지만 생각해보면 그 수박들은 눈호랑이가 다 먹어치웠으니 억울할 것도 없지. 이제 할멈은 눈호랑이가 범인이라는 걸 알았어. 그래서 눈호랑이를 마구마구 혼냈지. 그 다음부터 눈호랑이는 할멈이 무서워서 수박을 가지러 올 수가 없었어.

하지만 눈호랑이는 수박 맛을 잊을 수가 없었어. 그래서 어떻게 하면 수박을 더 먹을 수 있을지 집에서 고민에 고민을 거듭했지. 궁리 끝에 좋은 생각이 떠올랐어.

"내가 수박을 먹고 남겨둔 씨를 심으면 되겠구나!"

그래서 눈호랑이는 수박씨를 심어서 열심히 키웠어. 그렇게 해서 눈호랑이는 수박을 먹고 씨는 심으면서 날마다 맛있는 수박을 먹을 수 있었대.

비빔밥에서 김밥으로

이가 지음

옛날 옛적 아주 오랜 먼 옛날, 비빔밥을 좋아하는 고양이가 살았습니다. 어느 날 창문 밖으로 하얀 밥 눈이 펑펑 내리기 시작했습니다. 마침 밥이 다 떨어졌던 고양이는 밥을 받으러 뛰어나갔습니다. 고양이가 자리를 비운 사이, 집 안에 남아있던 비빔밥 재료들이 서로 이야기를 나누기 시작했습니다. 그러다가 김가루가 불평을 늘어놓기 시작했어요.

"나는 완전한 내 모습이 좋아. 커다랗고 네모난 나를 왜 굳이 잘라서 뿌려? 얘들아, 나 좀 원래대로 붙여줘!"

그러자 나물무침이 말했습니다.

"그러면 일단 네가 서로 모여봐."

옆에 있던 단무지도 거들었습니다.

"그래, 자리를 잡으면 우리가 위로 올라가서 다시 붙을 수 있게 꾹꾹 눌러줄게!"

김가루들이 서로 모여 원래의 모습대로 자리를 맞춰 누웠습니다. 그러자 나물무침과 단무지가 김가루 위로 올라가 쿵쿵 뛰며 밟기 시작했습니다.

"어어? 아이고! 너무 무거워! 도로 내려가!"

그 순간, 눈이 쌓이며 무게를 이기지 못한 창문이 쨍그랑 깨져 버렸습니다. 펑펑 내린 눈 밥이 김 위로 철퍼덕 쌓이기 시작했어요. 밥에 들러붙은 비빔밥 재료들은 팔다리만 허우적대며 벗어나지 못했습니다.

"으악! 못 움직이겠어! 도와줘!"

"알았어, 기다려! 우리가 떼 줄게!"

옆에 있던 달걀 지단과 당근채 무침, 고기 볶음이 친구들을 돕기 위해 달려왔습니다. 하지만 영차영차 서로를 잡아 끌던 친구들 역시 다 함께 달라붙고 말았지요.

"으악, 우리도 붙었어!"

친구들이 점점 더 들러붙으며 무거워지자 김이 참지 못하고 뒹굴뒹굴 구르기 시작했습니다. 그러더니 그만 양 끝이 탁! 들러붙었지 뭐예요. 혼자 남은 식칼이 친구들을 도와주려고 허둥대다가 그만 발이 걸려 넘어지고 말았습니다. 그 바람에 친구들이 모두 싹둑 싹둑 잘리고 말았지요. 그 순간 "탁! 끼이익~" 문이 열리면서 고양이가 돌아왔습니다.

"나옹? 비빔밥이 이상한 모양으로 뭉쳐졌네?"

고양이는 새로운 모양의 비빔밥을 한 개 먹어보고는 눈이 휘둥

그레졌습니다.

"냥! 너무 맛있어! 하얀 쌀밥 바깥쪽에 김이 붙어있으니... 이 음식의 이름은 김밥이라고 해야겠다!"

고양이는 남아있던 김밥들을 보며 말했습니다.

"김밥을 더 많이 만들어 팔아서... 반짝거리는 걸 많이 벌어야지. 그리고 반짝거리는 걸 많이 벌면... 그걸로 비빔밥을 사야겠다! 먀옹!"

불에 탄 당근

이가은, 이성훈 지음

어느 마을에 말을 잘하는 특별한 당근이 살았어. 당근은 더 특별해지고 싶어 모험을 떠나기로 했지. 그런데 길을 가다가 우연히 불이 붙었지뭐야.

"앗, 뜨거워! 도와줘!"

그러자 불꽃이 말했어.

"미안해. 내가 도와줄게."

불이 도와준 덕분에 당근은 빨간 당근으로 변신했어. 계속 길을 가던 빨간 당근은 당근 마을에 도착했어. 마침 특별한 당근 대회가 열리고 있었지. 더 특별한 당근이 되고 싶었던 빨간 당근도 당연히 참여하기로 했어. 왜냐하면 바로 일등 상품이 무지개였거든! 무지개를 먹은 당근은 무지개 당근이 될 수 있었던 거야. 대회에 나간 당근은 말도 잘하고 빨간 불꽃 색깔을 보여주며 일등을 할 수 있었어. 그리고 무지개를 먹고 무지개 당근이 되었지. 신이 난 무지개 당근은 마을을 돌아다니며 자랑을 했어.

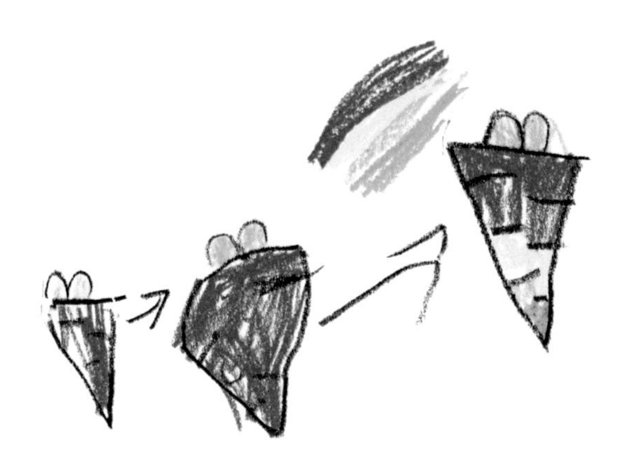

하지만 무지개 당근보다 더 특별한 당근이 되고 싶었던 당근은 다시 모험을 떠났어. 이제는 당근이 아니라 사과가 되고 싶었거든. 하지만 불을 끄지 않고 다니다가 그만 또 타버렸어. 그래서 씨앗만 남게 되었지. 그러다 당근 씨앗은 사과를 만나 함께 지내기로 했어. 당근 유전자와 사과 유전자가 만나서 사과당근이 되었지. 사과당근이 된 당근은 당근 마을의 큰 자랑이 되었다고 해.

"내가 특별해보여? 당근이지!"

오늘 저녁은

이수민 지음

수민이가 저녁거리를 사러
시장에 갔어요.
"오늘은 당근이 싱싱하네.
당근 한 개 주세요!"

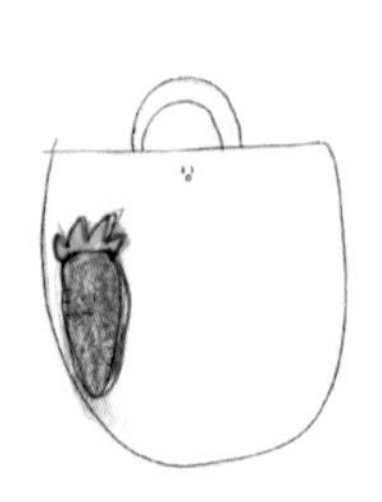

장바구니가 말했어요.
"어? 시금치도 샀네.
오늘 저녁에는 어떤 요리를
하려는 걸까? 당근과 시금치가
들어가는 음식은 뭐가 있지?"

"어? 달걀이네. 혹시 시금치와
당근을 넣어서 김밥을 만드려는
걸까? 아니면 비빔밥을 만들려나?"

"이제 무엇을 살까?

단무지를 사면 김밥이고

콩나물을 사면 비빔밥인데"

"앗, 콩나물이잖아!

역시 비빔밥인가?"

수민이가 말했어요.

"오늘 저녁은 비빔밥을

먹어야겠다."

장바구니가 말했어요.

"역시 비빔밥이 맞았어!"

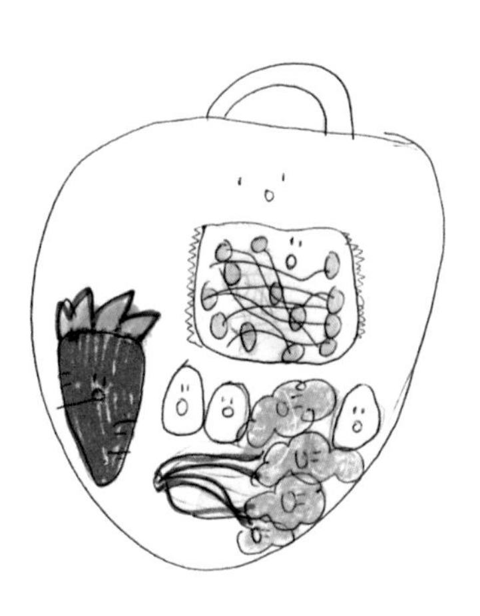

배배와 추추의 '매운 김치 나라' 여행

강현경 지음

'백김치 나라'의 두 어린이 김치인 배배와 추추는 '매운 김치 나라'를 여행하고 싶었어요. "엄마, 아빠! '매운 김치 나라'를 여행하고 싶어요!" 배배와 추추가 동시에 말했어요. "그래, 잘 다녀오렴." 부모님의 허락을 받은 배배와 추추는 여행을 떠났어요.

듣던 대로 '매운 김치 나라'에는 정말 많은 김치들이 살고 있었어요. 배추김치, 깍두기, 총각김치, 열무김치, 파김치, 깻잎김치 등 매운 김치의 종류도 많았어요.

"배배야, 여기 김치들이 정말 많다. 너무 많아서 부딪칠 것 같아." 추추가 말했어요.

"추추야, 배도 고픈데 우리 식당에 갈래?" 배배가 말했어요.

"좋아. 배배야, 우리 빨리 가자." 둘은 서둘러서 식당으로 갔고, 밥과 김치를 주문했어요.

배배와 추추는 매운 김치를 먹었어요. "추추야, 이 김치맛은 정말 칼칼하다. 네 김치도 칼칼하니?" "응, 내 김치도 정말 칼칼해." 배배와 추추는 대충 먹고 호텔로 향했어요. 왜냐하면 배배와 추추가 사는 '백김치 나라'에서는 김치가 맵지 않아서 배배와 추추는 매운 김치를 먹는 게 힘들었거든요.

호텔로 가는 길에 김치들이 너무 많아서 배배와 추추 몸에 고춧가루가 이리저리 많이 튀었어요. 게다가 고춧가루 향이 너무 강해서 숨도 쉬기 힘들었어요. "으아, 고춧가루 향이 너무 독해. 우리 버스 타고 갈까?" 배배가 코를 막으며 말했어요. "그래, 너무 매워." 추추도 코를 막으며 말했어요. 하지만 버스에 매운 김치들이 많이 타고 있어서 계속 코를 막아야 했지요. 둘은 간신히 호텔에 도착했어요. 배배와 추추는 도착하자마자 제일 먼저 샤워를 했어요. 몸에 묻은 고춧가루를 모두 닦아내야 했으니까요. "추추야, 빨간 자국이 너무 안 닦이는데?" 배배가 말했어요. "맞아. 고춧가루가 물들면 잘 안 지워지나 봐." 추추도 말했지요.

힘겹게 샤워를 마친 배배와 추추는 너무 배가 고팠어요. 그래서 다시 밥과 김치를 시켰어요. 하지만 이번에도 고춧가루가 들어가서 너무 매웠지요. 배배와 추추는 먹지 못하고 망설였어요. "계속 이렇게 쫄쫄 굶을 순 없어. 우리 김치를 물에 씻어서 먹자!" 추추가 용기내어 말했지요. "그래, 물로 씻어 먹으면서 매운맛에 적응하자. 너무 배가 고파서 안 되겠어." 배배도 씩씩하게 말했어요. 배배와 추추는 점점 매운 김치 먹기에 익숙해졌어요.

"배배야, 우리 이제 수영장 갈래?" "그래, 심심했는데 한번 가보자." 배불리 먹고 잠시 쉬던 배배와 추추는 수영장에 갔어요. 수영장에 간 배배와 추추는 고춧가루 물에서 신나게 놀았어요. "야호~! 신난다~!" 배배와 추추가 행복해하며 말했어요.

수영을 마친 둘은 샤워를 하러 갔어요. 고춧가루 물에서 한참 놀아서 온몸이 붉게 물들었거든요. 하지만 아무리 닦아도 몸은 하얘지지 않았어요. "어쩌면 좋지? 닦이지가 않아." "가족들이 너무 그립고 보고 싶은데... 백김치 나라로 돌아갈 수 있을까?" 배배와 추추는 걱정을 하며 백김치 나라로 돌아갔어요. "엄마! 아빠! 할머니! 할아버지!" 배배와 추추는 가족을 껴안으며 울었어요. "흑흑... 저희 몸이 빨갛게 물들어서 하얘지지 않아요..." 할머니가 말씀하셨어요. "애들아, 괜찮으니 걱정하지 말아라. 몸 색깔이 흰색이든 빨간색이든 우린 모두 김치란다. 여행은 재미있었니?" "네! 정말 재미있었어요!" 배배와 추추는 안심하고 가족들과 즐거웠던 여행 이야기를 나누었답니다.

공룡들이 좋아하는 떡

강현웅 지음

떡들이 운동회를 하려고 모였는데
갑자기 공룡들이 나타났다.
육식공룡도, 초식공룡도 떡을 좋아하기 때문이다.

티라노사우루스가 인절미를 먹고
기가노토사우루스가 무지개떡을 먹고
스피노사우루스가 수수경단을 먹고
벨로키랍토르는 화전이 맛있어 보인다며
달려가서 한 입에 먹어치웠다.

스테고사우루스가 꿀떡을 먹고
트리케라톱스가 백설기를 먹고
프테라노돈이 절편을 먹고
파키케팔로사우루스가 약식을 먹고
브라키오사우루스는 몸집이 커서
송편과 시루떡, 두 가지나 먹었다.

매운 떡볶이는 바닷물에 헹궈서 모사사우루스가 먹었다.

알로사우루스는 굳어서 딱딱해진 가래떡을 먹다가

이빨이 부러져서 더 이상 못 먹었다.

알로사우루스가 남긴 딱딱한 가래떡은 이빨이 튼튼한

티라노사우루스, 기가노토사우루스, 스피노사우루스가

나눠서 먹어치웠다.

배가 부른 공룡들은 집으로 돌아갔고

이빨이 부러진 알로사우루스는 공룡치과에 갔다.

인기 많은 떡, 인기 없는 떡

박제인 지음

어느 날, 달나라에서 토끼 한 마리가 떡방아를 찧고 있었어. 떡을 만들던 토끼가 하품을 하며 말했어.

"하암~ 졸려. 지금 만들던 것 까지만 만들고 자야겠다."

그리고 잠을 자러 가기 전에 만들었던 떡들이 도망가지 못하도록 철창 속에 가두었지. 밤이 깊자 가만히 누워있던 떡들이 하나씩 눈을 뜨기 시작했어. 몸을 일으킨 진달래 화전이 말했지.

"어서 이곳에서 빠져나가야겠어. 나는 예쁜 꽃으로 장식해서 인기가 많으니 내가 먼저 나갈래!"

그러자 무지개떡도 거들었지.

"맞아. 나처럼 무지개 색깔옷을 화려하게 입은 귀한 몸이 먼저 탈출해야 한다구."

꿀떡이 질세라 한마디 했어.

"맛으로 따지면 나만큼 달콤하고 인기가 많은 떡도 없어. 그러니 내가 먼저 나갈래!"

인절미가 발끈하며 대꾸했어.

"달콤한 맛을 좋아하는 사람만 있는 건 아니야. 내 고소한 콩고

물이 얼마나 인기가 많은데!"

인기가 많은 떡들이 먼저 나가겠다고 투닥투닥 다투는 사이, 인기가 없어서 한쪽 구석에 쭈그리고 앉아 있던 쑥떡이 말했어.

"아니야! 우리도 다 소중한 떡이라구. 너희보다 인기가 조금 없을 뿐이지."

콩이 듬뿍 박혀있는 영양떡도 끼어들었어.

"아이들이 콩을 싫어하는 바람에 인기가 없을 뿐이지, 나도 맛있는 떡이라구!"

그러자 꿀떡이 얼굴을 찌푸리며 코를 막고 놀렸어.

"아휴, 쑥냄새에 콩비린내까지. 인기도 없는 떡들은 우리가 다 나갈때까지 기다리고 있어!"

그 말을 들은 수수팥떡이 화를 내며 덤벼들었어.

"인기가 많다고 잘난척 하기는!"

결국 인기 많은 떡과 인기 없는 떡 사이에 큰 싸움이 벌어지고 말았어. 인절미가 백설기를 밀치자, 백설기가 뒤로 넘어졌어. 넘어지는 백설기에게 깔린 꿀떡이 터지며 꿀이 사방으로 튀었어. 콩떡과 영양떡은 서로 밀고 밀리다가 콩을 넣은 영양떡이 되어버렸고 무지개떡과 팥시루떡도 겹겹이 섞여서 쌓이며 난리가 난 거야. 결국 서로 붙잡고 뒹굴던 떡들은 모두 한덩어리가 되고 말았어.

꿀과 콩가루, 팥고물이 섞이며 뒤죽박죽이 된 떡들은 싸움을 멈추고 한참동안 서로의 얼굴을 쳐다보았어. 이제는 누가 꿀떡이고 누가 인절미인지, 누가 무지개떡이고 누가 수수팥떡인지 구분할 수 없을 지경이었지. 갑자기 떡들이 깔깔대며 웃기 시작했어.

"이렇게 보니 도저히 구분이 가질 않네."

"그래, 결국 우린 다 같은 떡이야."

그리곤 사이좋게 손을 잡고 차례차례 철창을 빠져나갔대.

이상한 김밥

최진우 지음

노릇노릇하게 잘 구워진 김이 한 장 살았습니다. 그 김의 이름은 김건이었습니다. 김건은 세상을 구경하고 싶었습니다. 그래서 햄버거 가게에 들어가 보았습니다. 햄버거 가게에서 패티가 두 장이나 들어있는 햄버거와 만났습니다. "우리 함께 다른 가게들도 구경해봐요!" 김건의 말에 햄버거씨도 신나서 휴가 신청서를 내고 함께 여행하기로 결정했습니다.

김건과 햄버거씨는 다음 가게로 들어갔습니다. 그 가게의 이름은 베스킨라빈스31이었습니다. 베스킨라빈스31은 내가 가장 좋아하는 후식입니다. 여러 가지 맛의 아이스크림을 구경하던 김건과 햄버거씨는 아이스크림씨에게 말했습니다.

"우리 함께 다른 가게도 구경해봐요!"

아이스크림씨도 당연히 허락을 하며 일행이 되었습니다.

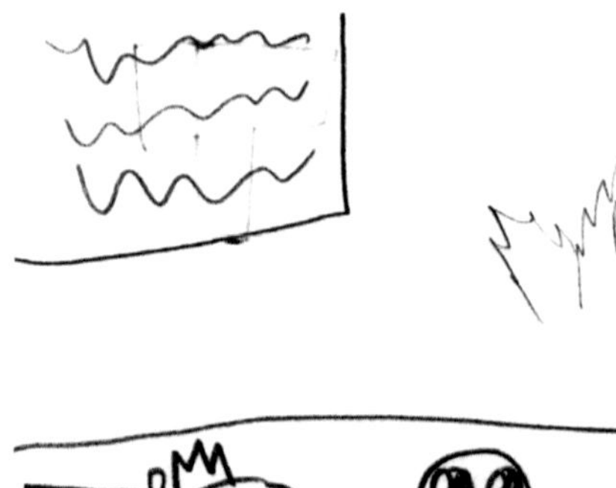

김건과 햄버거씨와 아이스크림씨는 다음 가게로 들어갔습니다. 그 가게의 이름은 비비큐 치킨이었습니다. 비비큐 치킨은 맛있어서 내가 가장 좋아하는 음식입니다. 여러 종류의 치킨을 비교하던 김건과 햄버거씨와 아이스크림씨는 치킨씨에게 말했습니다.

"우리 함께 다른 가게도 구경해봐요!"

치킨씨도 즐겁게 길을 나서며 함께 여행을 시작했습니다.

김건과 햄버거씨와 아이스크림씨와 치킨씨는 다음 가게로 들어갔습니다. 그 가게의 이름은 분식집이었습니다. 분식집은 세상에서 가장 맛있는 음식들이 모여있는 곳입니다. 피카츄 돈가스와 떡꼬치와 콜팝을 구경하던 김건과 햄버거씨와 아이스크림씨와 치킨씨는 떡볶이씨에게 말했습니다.

"우리 함께 다른 가게도 구경해봐요!"

떡볶이씨는 매운 양념 때문에 화를 내면서도 친구들을 따라갔습니다.

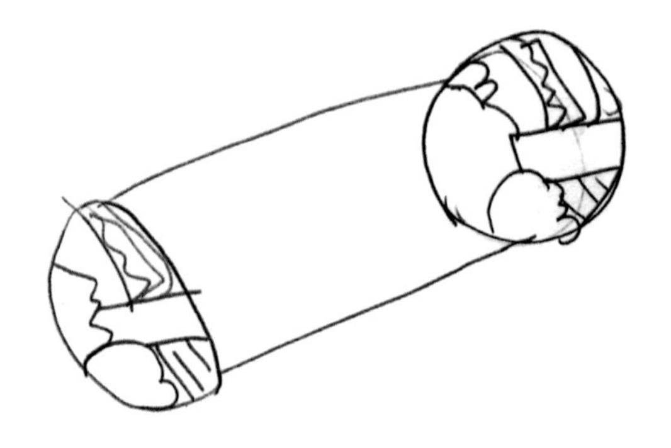

김건과 햄버거씨와 아이스크림씨와 치킨씨와 떡볶이씨는 힘차게 길을 나섰습니다. 하지만 불행하게도 분식집이 마지막 가게였습니다. 김건과 친구들은 분식집 앞의 언덕에서 굴러 떨어지고 말았습니다. 그리고 모든 음식들이 김에 돌돌 말리며 햄버거와 아이스크림과 치킨과 떡볶이가 들어간 이상한 김밥이 되었습니다.

이상하다.

내가 좋아하는 음식들만 넣었는데 왜 이상한 맛이 날까?

안좋은 일이 생긴 밥들

최송우 지음

취두부는 냄새가 나서

친구들이 모두 도망쳐 버렸어

샐러드는 방울 토마토가

데굴데굴 굴러떨어졌네

낫토는 엉덩이가 의자에 찰싹

달라붙어서 못 일어나고

민트초코 아이스크림과

녹차는 이상한 맛이 난다고

놀림받았어

나쁜 일이 없어서 다행이다

안심하던 김은

바람이 불자

휙 날아가버렸지.

빈대떡 신사

이황은, 김은솔 지음

지글지글, 타닥타닥.

초가집 할머니가 맛있게 빈대떡을 부쳤습니다. 빈대떡들은 1층, 2층, 3층 탑쌓기 놀이를 하고 있었습니다.

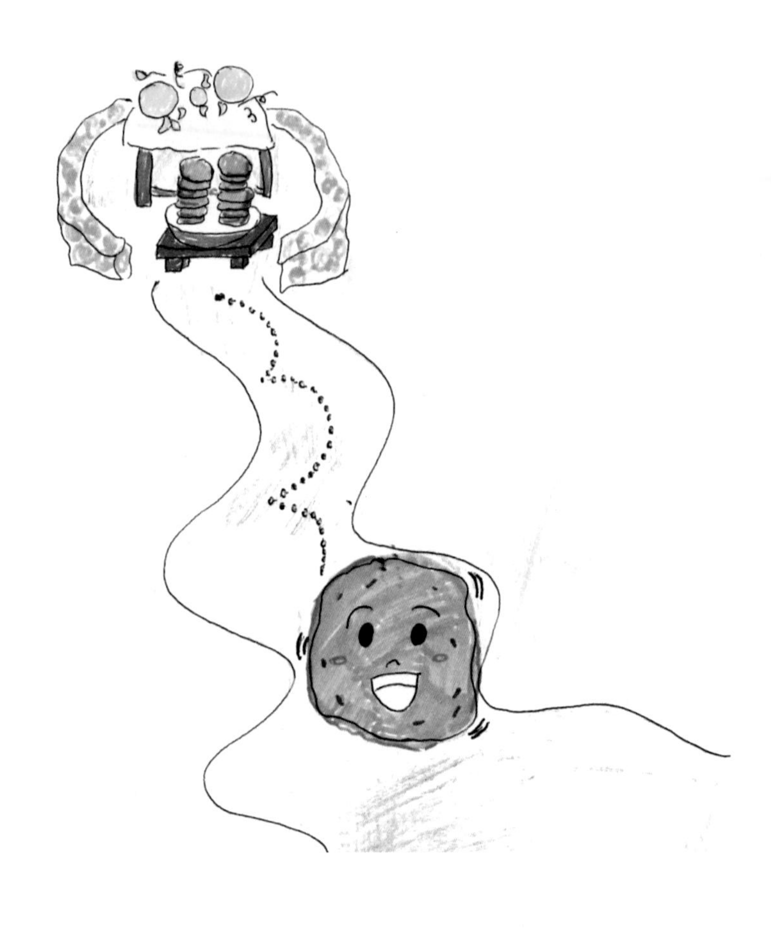

꼭대기에 쌓여있던 빈대떡은 탑쌓기 놀이가 지겨워졌습니다.

그래서 몰래 빠져나와 집밖으로 데구르르 굴러갔습니다.

빈대떡은 신나게 굴러가다가 사람들이 많은 마을에 도착했습니다. 여기저기 구경하며 굴러다니던 빈대떡은 하얀 중절모와 하얀 양복을 입은 멋진 신사를 보고 멈췄습니다.

신사는 빈대떡에게 정중하고 예의바르게 인사했습니다. 신사는 빈대떡을 모자에 태워 마을과 시장 구경도 시켜주었습니다.

매너있는 신사의 모습에 반한 빈대떡은 옷차림을 바꾸고 멋쟁이 빈대떡 신사가 되었답니다.

떡들의 초능력 대결

정숙현, 이원영 지음

여러 떡이 모여 신나게 놀다가 줄다리기를 하기로 했습니다. 먼저 편을 나누기 위해 다 함께 가위바위보를 했어요. "가위...바위...보!" 결과를 본 시루떡이 말했습니다. "안돼! 바람떡이랑 인절미가 같은 팀이라니!"

떡들은 가위바위보 결과에 맞춰 편을 가르고 줄을 맞춰 모였어요. "자, 그럼 준비... 시.. 작!" 시작 신호에 맞춰 양팀의 떡들이 힘을 주어 줄을 당기기 시작했습니다. 줄의 가운데에 묶어놓은 매듭이 왼쪽으로 넘어갈 듯, 오른쪽으로 넘어갈 듯 흔들흔들하는 것이 막상막하였지요.

양 팀의 힘이 비슷하자 백설기가 초능력을 썼습니다. 백설기가 온 몸을 흔들자 하얀 눈이 펑펑 내리며 상대편 떡들의 몸을 뒤덮었어요. "으으.. 추워! 힘을 쓸 수가 없다!" 줄이 점점 한 쪽으로 끌려가기 시작했습니다.

"이대로 질 수는 없지!" 그대로 지기는 싫었던 가래떡이 초능력을 썼습니다. 몸을 길게 쭈욱 늘려서 옆에 있던 가로등을 휘휘 감아 몸을 묶어버렸어요. 그러자 줄은 더 이상 끌려가지 않았답니다.

바람떡이 말했어요. "인절미야, 우리의 힘을 보여주자!" 인절미도 대답했지요. "그래, 좋아! 콩가루 공격!" 인절미가 수북히 묻어있던 콩가루를 하늘 높이 뿌리기 시작했어요. 여기에 바람떡이 초능력을 써서 태풍급 바람을 후후 불어대자 마치 황사 바람처럼 눈도 뜰 수 없을 정도의 콩가루 폭풍이 생겨났지요.

찹쌀떡이 능력을 써서 바닥에 찰싹! 달라붙었지만 온 몸에 콩가루가 묻자 금새 떨어지고 말았어요. 시루떡이 큼직한 팥고물을 던져 바람떡을 맞추려고 했지만 오히려 바람에 되돌아온 팥알에 자기 머리만 맞고 말았습니다. 오메기떡이 "오메가 파워!" 라고 외치며 초능력을 써서 엄청나게 힘이 쎄졌지만 휘몰아치는 콩가루 태풍 앞에서는 역부족이었습니다.

결국 줄이 한쪽으로 주르륵 끌려가면서 시합이 끝났습니다. "만세, 이겼다!" 백설기와 인절미, 바람떡이 환호성을 지르며 펄쩍 뛰었습니다. "그런데 줄다리기 시합에 이겼다고 좋아할 게 아니야. 주변을 좀 둘러보라구!" 시루떡이 울상을 지으며 말하자 다들 주위를 둘러보았습니다. 백설기의 눈가루와 인절미의 콩가루, 시루떡의 팥고물이 여기저기 쌓여있고 집과 나무가 바람에 날아가면서 마을이 폐허처럼 변해버렸지요. 떡들이 힘을 합쳐 마을을 복구하는데 몇 년이나 걸렸답니다.

떡들의 줄다리기

전아인 지음

오늘은 떡집이 드디어 문을 여는 날이에요!

유명한 독도 떡집의 주인인 독도씨가 휴가를 길게 다녀오는 바람에 그동안 먹지 못했던 떡을 사려고 아침부터 사람들이 북적거렸어요.

독도씨는 매우 바빴지요. 그래서 가게에는 떡으로 넘쳐났어요. 가래떡, 쑥떡, 인절미, 시루떡 등등 떡이 많이 생겨났어요.

그런데 절편과 꿀떡이 싸우기 시작했어요.

절편이 "속에 아무것도 들어있지 않은 떡이 가장 맛있어!" 라고 말하자 꿀떡이 "아니야! 속에 뭐가 들어야지 맛이 나지!" 라고 대꾸했거든요.

결국 두 떡이 시작한 작은 다툼은 떡집의 떡들이 모두 끼어드는 큰 싸움이 되고 말았어요.

"그럼 우리 편을 나눠서 줄다리기를 하자! 이긴 편의 떡들이 가장 맛있는 거야."

"그래, 좋아. 그럼 속에 앙금이 들어있는 떡과 아무것도 들어있지 않은 떡으로 편을 가르자!"

그래서 인절미, 화전, 백설기, 무지개떡이 절편의 뒤에 섰고 송편, 바람떡, 오매기떡, 찹쌀떡이 꿀떡의 편이 되었어요.

"자, 시작!"

떡들은 영차!영차!하며 열심히 줄을 당겼어요. 그런데 줄이 너무 쉽게 끌려오지 뭐예요? 가장 앞에서 열심히 줄을 당기던 절편과 꿀떡은 뒤를 돌아보았어요. 그런데 떡들이 모두 하늘로 둥둥 떠오르고 있는거예요. 그러더니 갑자기 종이로 만든 칸막이 안으로 뚝! 떨어져 버렸어요. 그리고 독도씨의 목소리가 울려퍼졌어요.

"주문하신 모둠떡 세트 나왔습니다!"

떡들은 그제야 깨달았어요. 떡은 사람이 먹으려고 만든 것이라는 사실을요. 그리고 사람들은 속에 무엇이 있건 없건 다들 자기 입맛에 맞게 골고루 좋아한다는 것도요. 그래서 떡들은 종이벽 너머로 서로에게 말했어요.

"얘들아, 우리 사이좋게 지내자!"

양팡이의 변신

한현숙 지음, 김지유 그림

햇볕이 쨍쨍!

일광욕을 즐기는 나는 양팡이!

어느 날 재미있는 모험을

하고 싶어 발길을 옮겨보았다.

어디로 떠나야 짜릿하고

신나는 경험을 할 수 있을까?

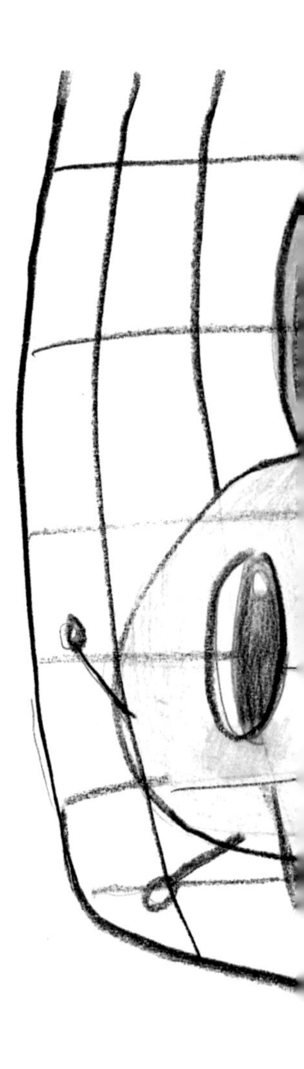

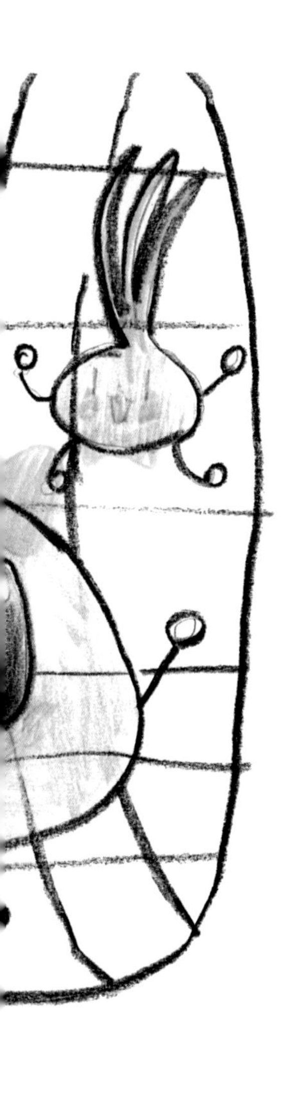

우선 출발해보자.

그러려면 몸에 딱 맞고

조금은 답답한 그물을

타고 가야해.

출발!

윽! 갑갑해. 어서 도착하면 좋겠다!

도착이다!

여긴 물놀이장인가?

우선 옷을 벗고 퐁당! 들어가보자.

유후~

내가 배웠던 수영 실력을

시험할 수 있는 곳이 되겠네.

신난다, 신나!

어푸어푸~

벌러덩 누워 배영도 해보고

달려달려

자유형도 해보고

이번에는 유유히 설렁설렁

평영도 해보고

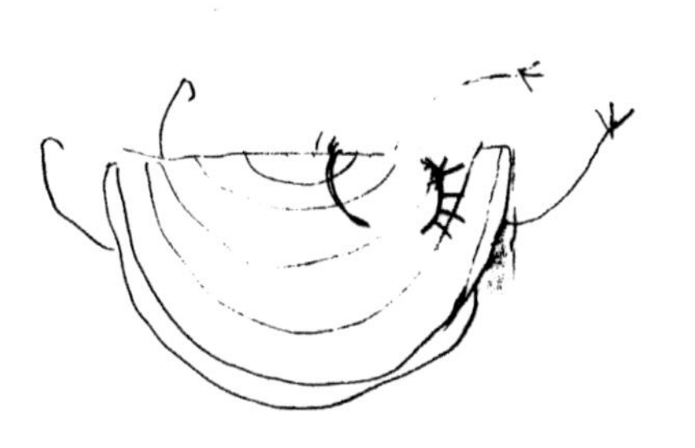

우와, 이 수영장

맑고 깨끗하고 정말 좋다!

뽀득뽀득

내 몸이 점점

새하얗게 변하고 있네.

앗! 저건 뭐지? 새까만 수영장도 있네?

저곳은 어떤 곳일까? 냉탕일까, 온탕일까?

궁금해서 안되겠다. 우선 첨벙~

아~ 뜨끈뜨끈해서 몸이 사르르 녹는 것 같아.

간장온천이었구나.

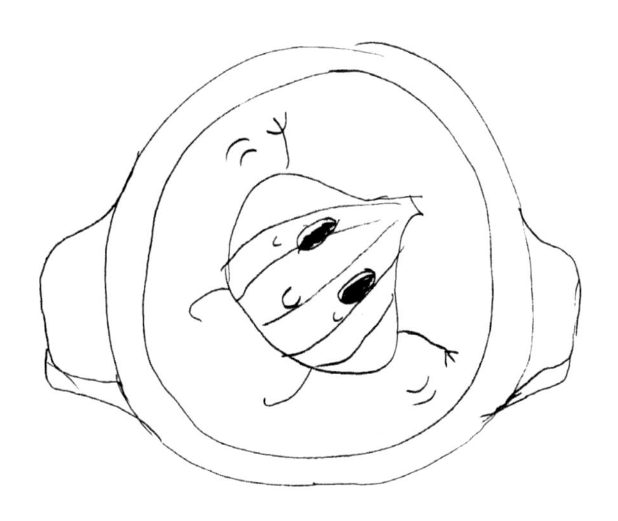

우와, 간장온천에 몸을 담그고 나니

양팡이가 양파 장아찌가 되었네!

단단한 나의 모습이 아삭아삭해졌어.

정말 멋진 모험이었어.

비 오는 날 파전과 함께 먹으면

너무너무 맛있어요.

나를 사랑해주세요!

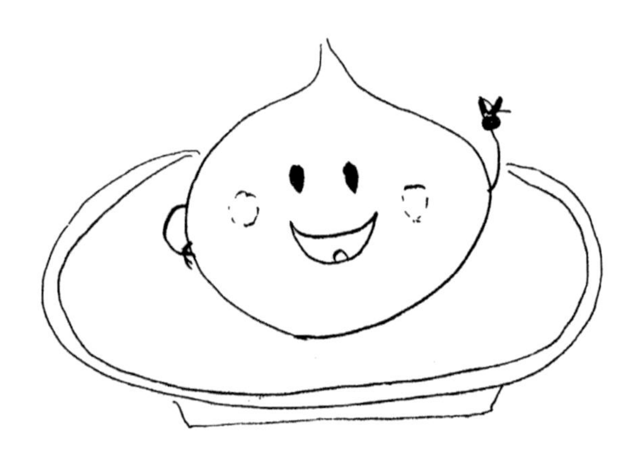

제5장
우리 밥상 이야기

음식은 꼭 밥상 위에서만
볼 수 있는 것은 아닙니다.
우리 주변 곳곳에서
그 모습을 찾아볼 수 있습니다.
책을 읽다가 등장하는 음식을 보며 쓴 독후감,
오늘 먹은 밥을 떠올리며 적은 일기,
농부와 어부, 부모님께 보내는
맛있는 밥에 대한 감사 편지,
그리고 갑자기 떠오른 음식에 대한 짧은 단상까지.
다채로운 우리 밥상 이야기가 펼쳐집니다.

아빠의 스팸 김밥

곽금호 지음

첫째 아들은 중학교 2학년이다. 매주 토요일마다 특별 수업을 가는데 도시락을 지참해야 한다. 그래서 아빠의 진심을 표현하기 위해 내가 직접 도시락을 만들어 준다. 오늘도 새벽에 일어나 밥을 짓고 스팸 김밥을 만들기 위해 햄과 달걀을 준비했다.

내가 어렸을 적에는 학교에서 소풍가는 날이면 어머니께서 고소한 참기름 냄새가 솔솔 풍기는 동그랗고 풍성한 김밥을 싸주셨다. 다행스럽게도 내가 만드는 김밥은 어머니의 김밥보다는 준비해야 할 속재료가 많지 않아서 시간을 절약할 수 있다.

가끔은 새로운 느낌을 주기 위해 김치를 넣거나 참치와 마요네즈를 섞어 넣기도 한다. 스팸도 불필요한 기름을 제거하기 위해 뜨거운 물에 한 번 데쳐서 굽고, 달걀은 잘 풀어서 소금을 조금 넣고 계란 후라이를 만들고, 김밥 김은 절반으로 자른다. 이제부터는 스팸 김밥을 만들기만 하면 된다. 무스비 틀에 밥, 계란, 스팸, 밥을 순서대로 올리고 겉에는 김을 돌돌 말기만 하면 완성이다. 아빠의 수제 도시락을 먹는 아들도 기분이 좋겠지만, 나 역시 토요일 아침을 재미있게 시작해서 기분이 좋다.

아들이 수업 잘 듣고 맛있게 스팸 김밥을 먹었으면 좋겠다. 그리고 내가 김밥을 보며 부모님을 생각하듯 나의 아이들 역시 김밥을 보거나 먹을 때면 항상 서로에 대한 좋은 추억과 사랑을 느낄 수 있기를 바란다.

김장을 하고픈 마음

– '식객: 마지막 김장'을 읽고 –

곽금호 지음

허영만의 '식객' 만화를 보면 '김치' 에피소드가 등장한다. 김장을 놓고 벌어지는 시어머니와 며느리의 갈등이 주요 내용이다. 시어머니는 온 가족이 모여 김장을 하기를 원하고, 직장 다니느라 바쁜 며느리는 "요즘은 다들 김치를 사 먹는다"며 김치를 사온다. 이런 모습을 보니 문득 '내가 좋아하는 우리 엄마 김치를 언제까지 먹을 수 있을까' 하는 생각이 머리 속을 스쳐 지나갔다.

그때부터 매년 김장철이 되면 아이들과 함께 부모님댁에 내려가서 김장을 도와드린다. 부모님이 직접 기르신 배추들을 이모들과 함께 모여 절이고 김장을 담는다. 갓 만든 김치에 돼지고기 수육을 곁들여 맛있는 점심 식사를 하는 것 역시 빼놓을 수 없는 즐거움이다. 다 함께 김치 담그는 법도 배우고 가족들과의 소중한 추억도 만들며 행복함을 느꼈다.

요즘처럼 빠르고 편한 것을 좋아하는 시대에 사람들은 번거롭게 직접 만드는 것보다 손쉽게 돈을 주고 사서 먹는 것을 좋아하는 듯 하다. 얼핏 보기엔 그런 방법이 좋아보일 수도 있지만, 때로는 우리만의 소중한 것들을 배우고 지켜나가는 것이 진정한 행복을 간직하는 방법일지도 모르겠다.

계란찜이 있어서 다행이야

박수현 지음

계란찜아, 너는 정말 부드럽고 날마다 먹어도 질리지 않는 맛이야. 나는 달걀 후라이, 삶은 계란 등 다른 계란 요리들은 다 싫고 계란찜 너만 맛있어.

약간 달콤한 맛에 조그맣게 썰어서 먹기도 좋은 당근, 송송송 아삭한 파, 짭짤한 새우젓과 노란빛 계란. 계란찜 넌 정말 침이 고일 정도로 맛있게 보여.

계란찜 네가 있어서 다행이야. 네가 없었다면 달걀은 입에 대지도 않았을 거야.

놀며 먹는 가래떡

- '가래떡'을 읽고 -

박수현 지음

가래떡이라는 책을 읽었다. 이 책을 고른 이유는 그냥 글쓰기가 쉬울 것 같아서였다. 그리고 사이다 작가님의 책을 읽어보고 싶기도 했다. 이 책은 가래떡을 먹으려고 준비하는 과정, 가래떡을 가지고 노는 그림, 가래떡 먹는 모습 등이 나와 있다.

나는 가래떡을 좋아한다. 꿀이랑 먹는 게 제일 맛있다. 나는 가래떡 그림책에 나오는 사람들과 똑같다. 그 사람들도 떡을 꿀과 함께 맛있게 먹었기 때문이다. 그리고 나도 먹을 때마다 가래떡을 갖고 논다. 쭉쭉 늘여서 놀기도 하고, 그러다가 끊어지게 한 적도 있다. 그리고 내 사촌동생은 가래떡을 밟기까지 한다. 나보다 동생이 더 드럽다. 그렇게 밟은 떡을 다시 먹기까지 했기 때문이다.

김치의 변신

김선경 지음

김치는 변화무쌍하다. 김장을 담그자마자 바로 먹을 수 있는 겉절이는 아삭아삭한 맛이 매콤하면서도 시원하다. 한 장 한 장 찢고 썰어서 바로 먹기도 하고, 열 포기 백포기처럼 많이 해서 쌓아두기도 한다.

시간이 지나서 익으면 익은 김치, 더 익히면 신김치, 가끔 잘못 익히면 맛이 미치기도 한다. 이렇게 변하는 게 싫어서 김치 냉장고의 힘을 빌리면 몇 달이 지나도 어제 만든 것과 같은 맛을 유지할수도 있다.

익힘 정도에 따라 볶아먹기도 하고, 물을 넣어 김치찌개로 끓여먹기도 한다. 잘못 보관해서 곰팡이가 피더라도 곰팡이만 제거해서 씻어먹을 수도 있다. 무쳤다가 익혔다가 끓였다가 씻었다가 내 마음먹은 대로 변한다. 버릴 것이 하나도 없다.

그렇게 보면 우리가 살아가는 인생도 김치와 비슷한 면이 많다. 나이를 먹어가며 사람이 변하지만 마음먹기에 따라 쓰임새도 달라지고, 그런 다양한 모습이 나름대로의 특징이 있어 매력적이다.

친구들과 만드는 비빔밥

- '고양이 히어로즈의 비빔밥 만들기'를 읽고 -

이가은 지음

고양이 히어로즈를 뽑는 오디션이 벌어졌다. 심사 주제가 비빔밥이라 고양이들이 히어로가 되기 위해 비빔밥을 만드는 이야기다. 고양이들이 비빔밥 만드는 모습이 너무 귀엽고, 저런 고양이들이 진짜로 있으면 좋겠다고 생각한다.

그리고 난 김밥은 많이 만들어 봤는데 비빔밥도 많이 하긴 했다. 그런데 혼자서 만들지 말고 책에서처럼 친구들과 함께 각자 다양한 비빔밥을 준비해도 재미있을 것 같다.

떡볶이에게 쓰는 편지

김은정 지음

어릴 적부터 나와 가장 친했던 너.

쫀득하고 매콤달콤한 너의 매력이 너무 좋아서

30년이 지난 지금까지도 제일 친하게 지내고 있구나.

학창시절 꺄르르 친구들과 하교 후 먹었던

보글보글 즉석떡볶이와 볶음밥.

남편과 데이트 할 때 쓰읍쓰읍 하며 먹던

중독성 강한 매콤떡볶이.

아이를 임신했을 때 너무나 먹고 싶어서 찾아 헤매던

달콤떡볶이.

아이가 크면서 영양 생각하며 먹였던 궁중떡볶이.

아이와 나들이하며 먹는 새로운 맛 짜장떡볶이.

달콤하고 매콤하고 쫀득쫀득한 너의 다양한 매력이

나의 시간 속 추억에 함께 있구나.

이제 조금씩 조금씩 커가며 매운 떡볶이를 입에 대기 시작하는

내 아이와 함께 전국 유명 떡볶이집 투어를 다니고픈

떡볶이쟁이 엄마의 로망.

앞으로도 잘 부탁해!

우리와 함께 앞으로의 추억 여행도 새롭고 맛있게 만들어가자.

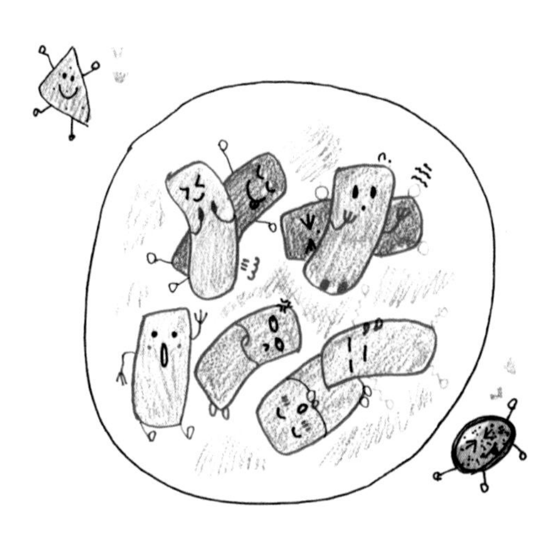

김장하던 날

– '엄마의 김치 수첩'을 읽고 –

김현주 지음

이 책을 처음 봤을 때 책 표지의 김장 준비하는 모습이 어릴 적 우리 집 김장하는 날을 생각나게 했다. 그래서 책을 읽기 시작했다. 책에서는 김치 재료를 준비하고 김장을 하는 날의 풍경이 정겹게 펼쳐진다. 시장에서 장을 보고 동네 사람들과 배추를 절이고, 파와 마늘을 다듬어 준비하고, 김장날 온 동네 사람들이 모여 김치를 담고 수육을 곁들여 잔치를 벌인다.

어릴 적 내 엄마도 우리 가족을 위해 김장을 하셨다. 배추 나르기나 마늘 까기는 온 가족이 모여 함께 했다. 김치를 버무릴 때 옆에 앉아 빨간 양념을 묻힌 노란 배추를 엄마가 입에 쏙 넣어주면 속이 아릴 때까지 받아먹곤 했다. 어릴 적 김장날을 펼쳐놓은 듯한 '엄마의 김장수첩'을 아이들에게도 읽어주며 추억을 공유해야겠다.

수수팥떡

김현주 지음

수수팥떡을 열 살까지 해주면 아이가 무탈하게 잘 자란다는 말이 있다. 둘째가 태어나고 심장에서 잡음이 들린다는 이야기를 듣고 걱정이 된 나는 수수팥떡을 열 살까지 직접 해 주어야겠다고 결심했다.

첫 돌쯤 잡음 소리는 사라졌고 나는 첫 수수팥떡을 만들었다. 해마다 만들다보니 이제는 훨씬 수월하게 만들 수 있다. 전날 미리 물에 불린 팥을 삶아 팥고물을 만든다. 수수 가루와 찹쌀 가루를 섞어 반죽을 하고 아이들과 함께 동글동글 경단을 빚는다. 끓는 물에 동동 떠오를 때까지 삶아내고 팥고물을 묻히면 완성. 요즘은 아이들 요청에 따라 절반은 카스테라 가루를 내어 굴려주기도 한다.

이 수수팥떡 먹고 무탈하게 쑥쑥 자라길. 엄마의 마음을 담아 올해 생일에도 수수팥떡을 만든다.

요리를 잘 못하는 엄마를 둔 아이들에게

김현주 지음

너희가 알지 모르겠지만, 사실 엄마는 요리를 잘 못한단다. 엄마의 엄마는 요리를 참 잘하셨는데. 엄마는 엄마를 생각하면 떠오르는 음식이 참 많은데 너희는 아직 그런 음식이 없을 것 같아. 그래도 오늘은 무엇을 만들어 주면 너희들이 맛있게 잘 먹고 쑥쑥 자랄지 매일매일이 고민이야.

그렇지만 엄마도 할 말은 있단다. 너희 둘의 입맛이 정반대라서 둘 다를 만족시키는 음식을 찾기가 힘들거든. 수민이가 좋아하는 된장찌개, 김치찌개를 정윤이도 잘 먹는 날이 오길. 정윤이가 잘 먹는 제육볶음, 불고기를 수민이도 좋아하는 날이 오길.

짜장떡볶이

이정윤 지음

떡볶이는 맛있다.

빨간 떡볶이는 매워서 아직 못 먹는다. 하지만 짜장떡볶이는 맵지 않아서 먹을 수 있다. 어제는 엄마가 떡볶이를 해주셨다. 누나는 빨간 떡볶이를 먹었다. 나는 짜장떡볶이를 먹었다. 어묵하고 치즈, 떡이 들어간 떡볶이였다. 떡이 쫀득쫀득하고 치즈가 쭉쭉 늘어나서 맛있었다. 양파와 당근도 들어있었다. 하지만 나는 양파와 당근은 먹지 않았다.

맵지 않은 짜장떡볶이야, 고마워!

부모님의 소고기 김밥

류미경 지음

김밥을 떠올리면 늘 부모님이 함께 만들어 주시던 소고기 김밥이 생각난다. 소풍가는 날 아침이면 분주한 소리와 함께 고소한 냄새가 날 깨웠다. 눈을 비비고 나가면 식탁 위에 돌돌 말린 김밥이 수북이 쌓여있었다. 소풍 다녀와서 저녁에 먹고 다음날 아침에 또 먹어도 맛있었다. 다른 곳에서는 절대 맛볼 수 없는, 부모님의 사랑이 담긴 김밥이어서 그랬나보다.

자식이 든든히 먹기를 바라는 마음으로 정성껏 재료를 준비하고 요리해주신 엄마. 팔이 아픈 엄마를 위하는 마음으로 재료를 썰고 김밥을 꾹꾹 눌러 말아주신 아빠. 친구들과 선생님께 엄마와 아빠가 함께 만들어주셨다고 말할 때마다 어린 내 마음은 자랑스러움으로 가득찼다.

엄마, 아빠. 두 분이 만들어주신 소고기 김밥은 최고였어요! 늘 사랑으로 키워주시고 최고의 부모님이 되어주셔서 감사드립니다. 우리 오래오래 함께 건강하고 행복하게 살아요.

미안해, 양파야...

이계련 지음

콜록콜록, 킁킁.

콧물이 주륵주륵, 켁켁

코가 꽉 막혀 잠을 설치는 똥강아지!

부엌에서 들리는 탁탁, 탁탁

맵싹하고 알싸한 냄새가 코를 찌른다.

부시럭 부시럭 잠 못자던 똥강아지가

새곤새곤 깊은 잠에 빠져든다.

머리맡에 양파 친구가 알싸한 냄새를

마구마구 뿌려주며 똥강아지 코를 뻥 뚫어줬다.

상쾌하게 일어난 똥강아지!

아침 밥상에 양파와 양송이와 감자가

함께 볶아져 올라와 있다.

평소에 싫어했던 양파가 너무 고마운 나머지

맛있게 냠냠 먹으면 얼마나 좋을까?

오늘도 외면받는 양파 반찬.

미안해 양파야...

고추참치 통조림

이수현 지음

입맛이 까다로운 석님(남편)은 단 것도 싫어하고 자극적인 매운 맛은 더더욱 싫어한다.

"오늘 저녁 메뉴는 무엇인가?"

"글쎄, 오늘은 고기를 볶아볼까?"

"아이들 좋아하는 메뉴로 만들어 봐!"

"오늘은 석님이 좋아하는 걸 만들어 줄게. 메뉴를 말해 봐."

"아무거나~"

아무거나 메뉴는 참으로 만들기 힘들다. 늘 아이들 위주로 음식을 만들다보니 달달하고 담백한 음식만 만들게 된다. 오늘은 마음을 먹고 석님이 좋아할 만한 음식을 만들어 본다.

"짜잔. 얼큰하고 매콤한 제육볶음 대령이오!"

그런데 석님의 표정이 영 만족스럽지 못한 얼굴이다.

"음. 고추참치 통조림 집에 있나? 그것 있으면 하나만 꺼내줘봐."

오늘도 고추참치 통조림을 찾는 석님. 통조림을 뜯어 밥 한 공기를 뚝딱 해치운다.

매운 고추가 들어가기는 매한가지인데 오늘도 결국 내가 만든 제육볶음보다 고추참치 통조림의 승리인 것이다. 고추참치 통조림. 너의 특별한 맛의 비결은 무엇일까?

하늘에서 떡이 내린다면

최진우 지음

오늘 그림책 읽기 시간에는 "하늘에서 떡이 내린다면 어떻게 될까" 생각해보는 독후활동을 했다. 하늘에서 떡이 내린다면 돈이 없는 사람들도 맛있는 꿀떡을 배불리 먹을 수 있어서 좋을 것 같았다. 하지만 꿀 알러지가 있는 사람은 꿀떡을 피해다녀야 해서 싫을 수도 있을 것 같다. 사방에 꿀이 묻어서 끈적끈적 달라붙는 것을 싫어하는 사람도 있을거다. 무엇보다 떡을 만드는 걸 좋아하는 사람들이나 집에 떡 만드는 재료를 다 버려야 하는 떡집 주인도 실망할 것이다.

밥 대신 떡을 먹고 살아야 할테니 우리가 먹는 달콤한 떡 말고도 시금치, 김치, 밥, 소시지 맛이 나는 떡을 만들어 먹고 싶다. 그리고 가족들을 위해 눈으로도 즐길 수 있고 입으로도 즐길 수 있는 꽃떡을 만들어서 나눠먹고 싶다.

할머니 음식은 최고!

최진우 지음

꼬르륵, 꼬르륵. 뱃속에서 요동을 친다. 시계를 보니 오후 여섯 시 삼십 분이었다. 갑자기 엄마 핸드폰에서 따르릉 전화가 왔다. 전화기에서 할머니의 목소리가 들렸다. “우리 똥강아지들 배고파?” 나는 “네~”하고 대답을 했다. 할머니는 현관문 앞에서 전화를 하신 거였다. 엄마는 현관문을 빠르게 열어드렸다. 할머니는 두 손 가득히 음식 재료들을 가지고 오셨다. 당근볶음, 연근조림, 햄, 단무지 등 한아름 음식재료를 꺼내시고는 김이 모락모락 나는 밥에 고소한 참기름과 참깨를 뿌려서 둘둘 김밥을 말고 재빠르게 칼로 썰어서 담아주셨다. 먹는 순간 모든 재료들이 입안에서 섞이면서 달콤하기도 하고 짭쪼름하기도 하고 오독오독 씹히는 연근 맛이 재미있게 느껴지기도 했다.

나는 세상에서 우리 외할머니 음식이 제일 맛있으면서 한편으로는 속상하다. 이렇게 맛있는 음식을 하늘에 계신 외할아버지는 못 드시기 때문이다. 나의 기억에 외할아버지는 나를 너무나 이뻐하셨고 항상 등에 업고 다니셨다. 자장가를 부르고 엉덩이를 토닥토닥 두드리며 나를 재워주던 사진이 지금도 보면 좋으면서도 외할아버지를 만나고 싶어서 슬프게 느껴진다. 할아버지가 하늘나라에 가시고 할머니께서 일 년동안 우리 집에 같이 살면서 늘 만들어 주시는 밥은 우리 엄마가 해주시는 밥보다 뭔가 더 맛있게 느껴진다. 할머니는 밥에 마법의 가루를 넣으시나? 우리 엄마 밥도 맛있지만 할머니가 만들어 주시는 밥은 좀 더 특별하다. 나는 우리 외할머니 밥을 매일 먹고 싶다. 외할머니, 앞으로도 맛있는 밥 많이 만들어 주세요. 진우는 할머니 밥이 가장 맛있어요. 사랑해요!

김장 잔치

– '엄마의 김치 수첩'을 읽고 –

김은솔 지음

김치를 좋아하는 나는 "김치 수첩"이라는 단어가 궁금해서 이 책을 보게 되었다. 이 책에는 많은 인물들이 나온다. 특히 이 이야기의 주인공은 은경이 엄마다. 하지만 나는 진짜 주인공은 김치라고 생각한다.

무엇보다도 김장 하는 방법을 새롭게 알게 되어서 좋았다. 배추를 소금에 절이고 김칫소에 찹쌀풀을 넣는 모습이 신기했다. 김장을 할 때는 은경이 엄마에게 김치 수첩과 여러 가지 재료가 필요했다.

그 중에서 가장 중요한 것은 마을 사람들이다. 모두가 힘을 합쳐 김장을 끝내고 마당에서 잔치가 열리는 모습이 가장 인상 깊었다. 다같이 상을 차리는 모습이 행복해 보였다. 나도 내가 좋아하는 김치를 직접 만들어 보기도 하고 다른 사람들과 함께 김장 잔치도 하고 싶다.

가래떡에 대한 짧은 생각

김은솔 지음

가래떡은 길고 하얗다.

가래떡은 말랑거린다.

가래떡으로는 떡국도 만들 수 있다.

가래떡은 쌀로 만든다.

가래떡은 벼 냄새가 난다.

가래떡은 기계로 만든다.

가래떡의 맛은 밥 맛이 날 때도 있고 다른 맛이 날 때도 있다.

가래떡을 먹을 때 질쩍질쩍거릴 때도 있고 딱딱할 때도 있다.

가래떡에 꿀을 찍어먹을 수도 있다.

가래떡은 구워먹을 수도 있다.

내가 생각하기로 가래떡은 추울 때는 딱딱해지고 뜨거울 때는 질척거린다.

사람들은 보통 가래떡을 캠핑 할 때 불에 구워먹는다.

송편을 보며 비는 소원

- '추석 전날 달밤에'를 읽고 -

김은찬 지음

'추석 전날 달밤에' 책을 읽었다.

추석에 송편을 만들고 나눠 먹는

이야기였다. 나도 둥글둥글 송편을

보니 소원이 빌고 싶어졌다.

"송편만큼 많은 장난감이

생기면 좋겠다."

밥의 변신

정숙현 지음

무심하게 밥상에 밥이 올라온다. 어제도 올라왔고, 내일도 올라올 것이다. 화려하고 맛깔스러운 반찬들 사이에 매일 올라오는 밥은 눈에 띄지 않고 먹어도 그만, 안먹어도 그만이다.

이렇게 만만한 밥을 가만히 들여다보면 밥알 하나하나에 햇살과 바람과 물과 땅이 들어있고 농부의 땀방울이 들어있으며 엄마의 마음과 시간이 알알이 들어있다.

이 하얀 녀석은 색깔이 없어서 오히려 변화무쌍하다. 밥만 먹으면 밍밍하기도 하지만 약간 노릇하게 태운 후에 물을 부어 보글보글 끓이면 노랗고 구수한 숭늉이 만들어져 헛헛하고 싸늘한 아침 공기를 이길 수 있게 도와주기도 한다.

노란 카레를 만나면 노랗게 물들고

빨간 찌개를 만나면 빨갛게 물이 든다.

계란을 붓고 소금을 솔솔 뿌려 프라이팬에 달달달달 볶으면 고소하고 짭조름한 계란볶음밥이 되어 식구들의 입을 즐겁게 해준다.

달걀

한현숙 지음

달걀. 이것은 없어서는 안될 주인공 같은 녀석이다. 짜장밥, 볶음밥 위에 달걀 프라이 착! 얹어주거나 매콤한 냉면, 쫄면에 반숙으로 삶은 달걀을 반으로 잘라 예쁘게 얹어주면 너무나도 먹음직스럽다. 요리의 포인트! 화룡점정으로 이끌어주는 아이이다.

우리 딸 지유의 삶도 이처럼 어디서든 꼭 필요한, 없어서는 안될 아주 귀한 존재로 자라기를...

이 아이로 인해 주변이 반짝반짝 빛나고 환해지기를...

어느 곳에 있어도 모두를 행복하게 만드는 포인트 역할을 하는 삶이 되기를 기대하며 기도해본다.

내가 감이라면

김지유 지음

나는 감나무에 달린 감이야! 나는 어릴 때는 초록색이었다가 어른이 되면서 점점 주황색으로 변해. 내 친구는 나이가 좀 많아서 사람이 따려고 하는데 뭉개져 버렸대. 그래서 적당히 익어야 잘 딸 수 있어. 지금은 사람이 나를 따줘야 할 시기야.

오, 이제 따러온다. 오, 운이 좋았어. 딱 맞게 익은 나를 따려고 해. 톡 하고 가지가 잘렸어. 이제 땅에 떨어지지만 않으면 돼. 어... 어? 으악!

으앙... 사람이 나를 놓치는 바람에 내 얼굴이 으깨졌네. 감이라서 반창고도 못 붙이네. 아이고, 내 머리야. 나는 이제 간다. 냄새나는 하늘나라, 쓰레기통으로 간다. 나의 동생들아 잘 있거라. 나처럼 쓰레기통으로 가지 마라. 제발.

참고 문헌

아래의 그림책들은 수업 시간에 작가님들을 초청하여 함께 읽고 생각하며 이 책에 실린 글을 쓰는 토대가 된 책들입니다.

길상효 글, 신현정 그림. 『김치 가지러 와!』. 씨드북, 2016.

김난지 글, 최나미 그림. 『떡이 최고야』. 천개의바람, 2016.

김난지 글, 최나미 그림. 『밥이 최고야』. 천개의바람, 2013.

김난지 글, 최나미 그림. 『김치가 최고야』.천개의바람, 2014.

김자연 글, 이정숙 그림. 『수상한 김치똥』. 살림어린이, 2016.

박광명. 『대단한 밥』. 고래뱃속, 2015.

박혜숙 글, 김령언 그림. 『역사가 보이는 별별 우리 떡』. 한솔수북, 2014.

보람. 『고양이 히어로즈의 비빔밥 만들기』. 딸기책방, 2022.

사이다. 『가래떡』. 반달, 2016.

사이다. 『고구마구마』. 반달, 2017.

안소민. 『삶은 달걀과 감자와 호박』. 옥돌프레스, 2021.

이선주 글, 박선희 그림. 『간장게장은 밥도둑』. 씨드북, 2016.

이은경. 『배추쌈』. 보림, 2022.

채인선 글, 최은주 그림. 『김밥은 왜 김밥이 되었을까?』. 한림출판사, 2023.

천미진 글, 강은옥 그림. 『무궁화꽃이 피었습니다』. 키즈엠, 2019.

천미진 글, 강은옥 그림. 『된장찌개』. 키즈엠, 2015.

천미진 글, 강은옥 그림. 『떡국의 마음』. 키즈엠, 2019.

천미진 글, 정빛나 그림. 『추석 전날 달밤에』. 키즈엠, 2019.

최지미. 『돌돌말아 김밥』. 책읽는곰, 2017.

한라경 글, 김유경 그림. 『엄마의 김치수첩』. 보랏빛소어린이, 2020.